国家出版基金项目
NATIONAL PUBLICATION FOUNDATION

《三联经典文库》

第二辑

2012 年国家出版基金项目

三联经典文库

150

官僚资本论

许涤新　著

生活·讀書·新知 三联书店

图书在版编目(CIP)数据

官僚资本论 / 许涤新著. -- 北京 : 生活·读书·新知三联书店, 2014.1
（三联经典文库第二辑）
ISBN 978-7-108-04668-0

Ⅰ. ①官… Ⅱ. ①许… Ⅲ. ①官僚资本－研究－中国－民国 Ⅳ. ①F129.6

中国版本图书馆CIP数据核字(2013)第247398号

150 官僚资本论

责任编辑 邵慧敏
封扉设计 蔡立国
责任印制 常宁强
出版发行 生活·讀書·新知 三联书店
(北京市东城区美术馆东街22号)
邮　　编 100010
经　　销 新华书店
印　　刷 北京鹏润伟业印刷有限公司
版　　次 2014年1月北京第1版　2014年1月北京第1次印刷
开　　本 787毫米×1092毫米 1/32　印张 6.375
字　　数 87千字
定　　价 23.00元

《三联经典文库》出版缘起

适逢生活·读书·新知三联书店八十华诞，为弘扬传统，接续文脉，回报读者，服务社会，我们决定策划出版《三联经典文库》。

1932 年 7 月，生活书店在上海创办，此后，读书出版社和新知书店相继成立。本文库第一辑、第二辑所选图书，来自于这三家出版单位及其分支机构，以及 1948 年生活·读书·新知三联书店成立后的出版物，始于 1932 年，截至 1951 年，两辑各一百种。此为第二辑，涉及政治、经济、社会、军事、思想文化诸领域，涵盖专著、文集、散文、小说、诗歌、传记、报道等体裁，既有直面现实、追求真理、讴歌真善美、抨击假恶丑的原创作品，又有引介世界各国先进文化、传播新知、开启民智的迻译之作，真实记录了那一代知识分子的思考与探索、理想与愿景和对中华民族文化传承与创新所做出的努力与贡献。

本文库所辑入各书，多为名家名作，在版本方面，以初版一印本或经著译编者审定、修订、增订过的版本为首选，因此本文库又具有较为珍贵的版本价值和收藏价值。

本文库还将编选续辑，使之成为恢弘文化工程。诚挚希望读者给予批评和指正，帮助我们完善编选工作，再现三联经典作品之风采。殊为遗憾的是，由于年代久远，一些原著译编者及其后人未能取得联系并奉付稿酬，诚盼版权所有者与我们联系。祈愿三联前辈所创造的精神财富能薪火相传，为中华文化的伟大复兴增光添彩。

《三联经典文库》编辑委员会

2013 年 8 月

凡　例

一、本文库为重排本，由繁体字竖排版改为简体字横排版。

一、以忠实于原作、整旧如旧为编辑原则，对当时使用的专有名词、外文译名，以及民国时期的语言和特色予以保留。

一、原书注释如旧，编者所出的注释，均以“编者注”标明，以示与原书注释的区别。

一、对原书残缺或字迹漫漶之处，以□示代。

一、对繁简文本转换时的“如右”、“见左”一类，对应改为“如上（前）”、“见下（后）”。

一、对原书中各种错讹脱衍之处，直接订正，不再以其他符号标示。

一、对数字、标点符号的用法，在不损害原文语义的情况下，做必要的规范。

一、本文库各书均前插原书书影、原书版权页和文库版“本书出版说明”。

一、本书出版说明的撰写，以客观中立为原则，扼要介绍本书的内容、版本流转、著译编者的情况。

本书出版说明

本书是研究中国官僚资本的论著。全书共分七章，分析了兼具封建性和买办性的官僚资本的社会根源——官僚制度和买办制度以及二者结合的途径；介绍了清末、国民党“五大财团”以及地方上主要官僚资本家的资本状况及其经营活动；重点研究了国民党“五大财团”官僚资本的七种类型及其在财政金融、工商业、农业等领域的垄断性、掠夺性活动，从而揭示其封建性和买办性的本质；分析了中国官僚资本何以构成独占资本及其“中国特色”；总结了“五大财团”官僚资本给中国经济、社会各阶级、地方资本造成的危害并剖析了其内部彼此之间的矛盾。作者最后指出官僚资本已成为中国民族独立和和平民主的障碍，意图将此书“作为专制政治和官僚资本的丧歌”。

本书由香港南洋书局于1947年7月初版，此次出版即以此版本为底本。

许涤新（1906-1988），广东揭阳人。1920年代，曾于中山大学、厦门大学、上海劳动大学学习。1933年加入中国共产党。曾任中国社会科学家联盟党组书记、中共上海局文化委员会委员。抗战期间，任武汉、重庆《新华日报》编辑、社论委员会委员，《群众》杂志主编等。1945-1949年期间，出任香港《群众》周刊编委。1949年后，历任上海市委委员、统战部长，华东局财政委员会委员，上海市财政委员会副主任、工商局局长，中共中央统战部副部长，国家行政管理局局长，中国社会科学院副院长兼经济研究所所长，汕头大学校长，中国统一战线理论研究会副会长，中国大百科全书总编委会委员和经济学分卷编委会主任。历任第一、三届全国人大代表，第五、六届全国人大常委。主要著作有《中国经济的道路》和《官僚资本论》（1946年）、《生态经济学探索》（1985年）等，主编《政治经济学辞典》（上中下，1980-1981）等。

生活·读书·新知三联书店

2013年8月

南洋书店1947年7月初版书影

官僚資本論

三十六年七月港初版
0001-1500

作者　許滌新
出版者　南洋書店
香港九龍樂道一號二樓
經售者　各大書店
定價港幣三元

原书版权页

目次

第一章　官僚资本的社会根源

一　官僚资本是什么东西？

官僚资本之毒害中国人民，并不是最近才有的事情；但最近二十年，官僚资本的毒害才达到使人不可忍受的程度！

因为官僚资本的毒害与日俱增，所以，它就迫使人们不得不去认识它。这二三年来，报纸和杂志上关于官僚资本的研究，越来越多了；对于官僚资本的认识，亦就越来越明确了。可是，客观的认识并不是一下子就可达到的，人们对于官僚资本的掌握和理解，亦复如此。

有人把现在的官僚资本当作鸦片战争以前的原始官僚资本。吴景超先生可以说是这一说法的代表。他于民国三十一年四月二十日在重庆《大公报》发表了一篇文章，题为《官僚资本与中国政治》。他批评美国哈佛大学的格来斯教授“没有发现在中国的历史里，还有一种资本，其势力正不下于商业资本。那就是官僚资本。官僚资本是如何形成的，实为一个很可研究的问题，我们愿意利用从前历史材料，分析官僚资本形成的方式”。吴先生虽然没有明明白白地规定现在的官僚资本就是过去历史上的官僚资本，但照他的这种推论的方法，可以看出他是把前汉书中的“官僚资本”，同现代的官僚资本混为一谈的。形式逻辑的先生们，都是“以不变应万变”的信徒。官僚资本就是官僚资本。西汉的时候这样；国民党统治的时代亦是这样，换句话说，吴先生的这种看法，只是把握住官僚资本的封建性而已。

说官僚资本有封建性并不错，但说官僚资本只有封建性，那就错了。官僚资本除了封建性之外，还有它的另一个特性，那就是买办性。因为中国自从鸦片战争以后，便从封建社会沦为半殖民地半封建社会，在这儿，原始性的官僚资本，就不免在质上起了若干变化了（这一点，我们将在后面论及），可惜吴先生没有照顾到这一点。

其次，有人又把官僚资本当作单纯的高级的买办资本。橘朴先生可以说就是这一种说法的代表。他在他的《支那社会研究》中，尝这样写着：

> 帝国主义要在中国投资（铁道、邮政、电报及其他种种政治借款），或者为了要利用中国的封建政府，以榨取其人民，又不得不制造出别种中间人，由是发生所谓“官僚买办阶级”或“官僚资产阶级”，我们不妨把这官僚资产阶级称之为金融资产阶级。因为中国银行，大部分在他们手中。（转引自王渔村先生的《中国经济读本》第一一〇——一一一页）

照橘朴先生的说法，官僚资本就是买办资本，这种资本是“前无古人”地发生于帝国主义侵入中国之后。换句话说，现在的官僚资本是与鸦片战争以前的原始的官僚资本绝缘的。但，根据前面我们的看法，橘朴先生与吴景超先生是各走一端的。前者只看见官僚资本的买办性；后者只看见官僚资本的封建性。不从全面去把握问题，单单看到一面而抹杀其余，那是没法不弄错的。

除了吴景超和橘朴之外，还有不少人观念地片面地去把握官僚资本的。广州综合出版社所编印的《论官僚资本》就供给了不少例子：

（一）把封建社会中的官僚和商人，一刀两段的切开。例如说“在封建社会的末期，虽然商业资本已相当的发展，官商仍能划分清楚。官是官；商是商。做官的看不起商；做商的亦不能妄想做官”（见该书第十二页），这种说法是不合事实的。事实告诉我们：封建社会中的官，虽然看不起商，但他们去官之后未尝不可以经商；而商人呢，他们是可以用钱去买官的。早在汉武帝的时候，就有输纳一定数额的粟帛给政府，就可做官的规定了。封建社会并没有那么理想，官商分得像井水和河水一样的清楚。

（二）以为官僚资本必须是经营正常的工商业才算。例如说“北洋军阀时代，做官的尤其是做军官的，已经开始经商，但那时身份的观念仍然很重，经商是偷偷摸摸的，而其经营的对象主要是鸦片、白面、军火，所以这还不是正常的经商，其资本的运用，还在正常的商品流通过程以外”（见该书第十二页）。这亦未免太理想了。北洋军阀时代的官僚或军官“还不是正常的经商”，难道北洋军阀时代以后的官僚是堂堂正正在作“正常的经商”么？尽管官僚资本开了银行，设了工厂，但在事实上，它们的重要业务，仍是狗屁倒灶地不可见人的，难道走私和做鸦片是正当生意么？

（三）没有从发展的过程，没有从政治的经济的整个动向去把握官僚资本。例如说“抗战八年，孔祥熙氏做了将近七年的行政院副院长兼财政部长，这时期是中国官僚政治达到其登峰造极的阶段，也就是断送中国民族资本，官僚资本飞黄腾达的阶段”（见该书第三十五页）。照这样说法，孔祥熙氏下台以后，中国的官僚政治就会走下坡路，中国的官僚资本亦就会黯然失色了。但事实并不如此，孔祥熙氏下台之后，就来了宋子文；宋子文下台之后就来了政学系，而那个使人侧目的一家和CC系则早在孔氏在位的时候就已经成为集中性的大官僚资本了。没有从本质，从政治经济的内在去把握问题，是没法不弄错的！

最可恶的是CC这一系，他们自己明明是一个集中性的官僚资本集团，却要“做贼喊贼”，震耳欲聋地提出其所谓“打倒官僚资本”的口号。在三十五年政治协商会议之后，CC即嗾使其党徒萧铮、赖琏、任卓宣、吴铸人之流，在国民党的二中全会上，大事反对官僚资本，把官僚资本作为攻击其政敌的工具。这是再无聊无耻亦不过的！中国的老百姓很明白：CC是五大财团的一份子。他们之反对官僚资本，分明是在混乱人民对于官僚资本之认识的！

官僚资本是什么东西？

还是毛泽东先生说得正确，他在其巨著《论联合政府》中，很明白的指出：

> 官僚资本亦即大地主大银行家大买办的资本。

这个定义，明确地指出官僚资本的封建性和买办性。大地主是封建性的；大买办是殖民地性的，而大银行呢，它带着买办性又带着封建性，同时，这个定义，不但指出官僚资本的特性，而且又具体地把官僚资本的社会掘发出来！“官僚资本”的“官僚”，并不是抽象地超阶级的，它代表并包括了大地主，大银行家和大买办。

为了了解大地主、大银行家和大买办的资本之变成官僚资本，我们必须进而研究那二个直接构成官僚资本的因素——官僚制度和买办制度。

二 官僚制度与原始的官僚资本

官僚制度是中国封建社会的产物。

中国的封建社会占有二千多年的时间，但在这个悠长的时间中，它亦经历着一些变化。从西周末期到秦朝，可说是古典的封建社会。封建天子把他治下的领土与领民，除自己直接支配者外，分封其余给他们的子弟或功臣；其子弟或功臣又按照其阶位，把他由分封得来的领土与领民，除了自己直接支配者外，再分封其属下。自天子以至卿大夫，即所有属于支配阶层的人们，都是依着土地的领有形式，而寄生于农奴的剩余劳动上面。因为是按级分封的，所以反照在政治形态上就成为世卿政治或贵族政权了。这就是：各地掌握政权的贵族，同时亦是这个地方的领主。土地是他们的；政权直接亦是他们的。

这种情形到了秦代就起了变化。因为劳动生产力的提高，因为商业资本的发展，旧的贵族便逐渐崩溃了。秦始皇吞并六国，建立郡县制度，建立一个集权的专制政权，基本上，就宣告领主制度的“死亡”。在这里，皇帝依然是全国最大的地主；它依然是以最大的一个地主的身份来代表全国地主，执行统一的政权；皇帝和地主，依然是寄生在广大农奴的剩余劳动或剩余生产物的上面，可是，古典的封建领主“对其领内可以榨取的剩余农奴劳动，直接让诸子功臣分别自行处理；而集权国家的皇帝，则把这些农奴的剩余劳动，全部收为已有，然后再以给俸的形式交给他们”。

在君主专制之下，皇帝必须有权自由任用，罢免和迁调任何官员，因之，这些官员必定不是终身职或世袭制而为君主所不能干涉的，这就是官僚制度下的官僚。这种制度开始于秦汉，直到唐代才充分成熟。

官僚不一定属于世袭的贵族，所谓“布衣卿相”就是非贵族的人，为皇帝所提拔，一下子就做起大官。唐代以后，厉行科举考试以产生官僚，一个穷光蛋只要考得顺利就可做官；做了官就帮助皇帝来镇压农民；就在搜刮当中把自己变成地主，参加到地主阶级的集团去了。官僚就是地主阶级在政治上的代表；大官僚同时亦就是大地主！

贪污是官僚的一个必然的属性，升官和发财一向就是被人联系在一起的。“三年清知府，十万雪花银”，正是绝好的写照。知府是地方官吏，尚且这么肥美；中枢的大员更不必说了。为了稳固官位，为了更快升官，地方官吏对于中枢大员自然要竭力奉进，因此，当权的大臣自然很少有清白的了。吴景超先生根据前汉书把官僚致富的形式，分为六种。第一种称为董贤式。“一个做官的得到皇帝的信任与好感便可在任内，得到许多赏赐。国库的公款，用赏赐的方式，便变为私人的财产。”第二种可称为田蚡式。田蚡在武帝任内做到丞相，利用其地位广收贿赂，享受那治宅甲诸第，田园轻膏腴，后房妇女以百数的在活。第三可称为田延年式。这是利用国家财政和运输机关的势力，暗吞国家收入，把大部分公帑归入自己的荷包而暴富的。第四可称为张汤式。这是利用机要地位，泄露政府财经措施消息于商人，与商人平分预囤货物的利得而致富的。第五可称为张禹式。这是把从做官途径中得到的财富，投资到别的生产事业，如购买土地与设立手工业工场，去扩大其财产的。第六是杜周式。这亦是从不义之财肥胖起来的（见三十一年四月二十日重庆《大公报》）。这六种方式，大多数是以贪财受贿侵吞公款为特征的。这亦可以证明官吏之致富是没法与贪污绝缘的了。

商业资本越发展，则官僚们就越加贪污。因为商业的扩展，刺激了官僚们的消耗；同时亦扩大他们从搜刮所得的金钱的活动范围，但在这里，我们应注意的是鸦片战争以前的官僚资本的活动方式。吴景超先生所举的六种形式，除了第五种张禹那一形式以外，都是属于官僚资本的“积累”的，都是关于大官僚之如何起家的。谈到“官僚资本”的活动，恐怕只有张禹那一种了。一般说来，鸦片战争以前的官僚，不论他用什么方法取得钱财，其极大部分，必定投到土地上去。因为那个时候，土地是主要的生产手段：地产之大小是测量地主财富的主要尺度。除了广置田地以外，还把一部分资金转向去经营商业——类如典当，高利贷，盐铁业等等。不论官僚们把他们的资金用之于购置田地也好，不论官僚们把他们的另一部分资金用之于典当，高利贷和商业亦好，这些都是属于前资本主义的超经济活动，所以，我们称之为原始的官僚资本，以示它与现代的官僚资本的区别。

原始的官僚资本，就是地主的资本，这种资本的活动，一般说来，是没有与官僚所掌握的政权直接发生关系的。就是说，“那时的官僚资本主要的只是标明它获得的特性，而并没使用上的特性”（三十五年十二月九日上海《文汇报》）。这一位作者又接着说：

> 所以那时官僚们即如不因贪污搜刮而失官爵，他们也乐得引退告归，在地方上勾结官吏，从事扩大他们原有的财产与后来加上去的官僚资本的总体，犹胜于冒险的搜刮了。地主们既可进而获得官僚资本，又可退而运用官僚资本以膨大私产，于是反映在士大夫的意识中，也

便相斥相成：进则为齐平的儒家入世思想；退则归耕南山的道家出世思想了。（同上）

这种原始的官僚的资本，在鸦片战争以后，便在质上发生着若干的变化了。这就是在它的封建性之外，还被国际帝国主义加上了另一特性——买办性。从此以后，官僚资本不但在面貌上同以前不相同，就是在活动方式上亦同从前不相同了。在面貌上，现代的官僚资本的触角所及的，除了土地之外，还在新式银行中建立了它们的据点，还在大规模的国际出入口贸易以至新式工业中从事投资。他们不仅使用自己所搜刮得到的资本；而且利用了国家的资本。在活动方式上，现代的官僚资本，正是以其政权去保障其“经营”的。这就是所谓“既官且商”“亦官亦商”，如果把原始的官僚资本来与现代的带有洋气的官僚资本比较，岂止是“小巫见大巫”？我们之所以批评吴景超先生的那种只看见官僚资本的封建性的看法，并不是没有根据的！

三 买办制度与新式银行

买办制度是欧美资本帝国主义侵略东方的产物。中国，印度，南洋甚至海禁初开时候的日本，皆有这一种相似的制度存在，特别是印度的 Banian broker 制，与中国的买办制度更为酷似。

在鸦片战争以前，已经有“买办”制度之存在；但买办制度之在经济上发生巨大的影响及作用，却是鸦片战争以后之事。因为鸦片战争以前，外国资本在华的贸易还是有限的，而且那个时候，还有一种特许商人之存在，外人之使用买办，就不免受到限制。到了南京条约缔结以后，外国商品便排山倒海地冲进来，而同时，特许商人的制度亦被废止了，故外国商人利用买办的范围亦随之而扩张。买办就在这个时候，扩大其本来的职务及权限了。

为什么各帝国主义在中国要使用买办呢？有一位研究者写道：

盖互市以来，外人自得有限制的通商，驯

至获有海关权为止，其间各外商在我市场之竞争，颇为激烈，欲扩张一己营业，势不能不利用擅长此道之华人，为之推广生意，招徕顾客，而我之货币既不统一，度量又甚复杂，他如商业习惯之不同，信用状态之不明，言语文字风俗习惯之差异等事，悉为外商所感的困难，一方我国法制未臻完备，兵燹频起，种种营业，常发生意外之损失，彼外人欲起而免去此等障碍，以图交易之圆满，并得安心经营事业，使一切危险，转嫁于人，另诱以相当之利饵，舍买办外，别无良法。(《中国买办制》沙为楷著，商务出版第四〇——四一页)

这一位作者完全是形式逻辑的。所谓“货币不统一”,“度量甚复离”以至“商业习惯”,“信用状态”等等，都是次要的问题。帝国主义列强为了把中国变成它们的尾闾，就需要一大套工具，就需要“从中国的通商都市直至穷乡僻壤，造成了一个买办的和商业高利贷的剥削网，造成了为帝国主义服务的买办阶级和商业高利贷阶级，以便利其剥削广大的中国农民”，就是中国的币制统一了，度量衡统一了，商业习惯和信用状态都弄明白了，为了剥削中国广大农民，帝国主义列强还是需要许许多多的买办做爪牙的。

买办阶级主要是为资本——帝国主义对华的商品侵略和收购原料服务的，可是帝国主义列强在中国所经营的，尚不仅仅限于推销商品和收购原料，它们还要从事于银行、保险、运输（轮船）以至矿山各种企业的经营；还要进行其对于铁路，邮电及其他种种的政治借款，因此，买办阶级就不仅限于普通经营商业的洋行了。金融方面，有银行和保险的买办；运输方面，有轮船公司的买办；工矿业方面，有煤矿公司的买办；一直到政治上财政上亦有它们的买办，而在实质上，大军阀大官僚就是帝国主义列强在华的高级买办。

自资本——帝国主义列强在这个古老的国度上烙下了半殖民地的烙印之后，除了买办阶级直接在外人指挥之下张牙舞爪地向中国农民进攻之外，就是一般的商业和银行，亦是直接间接地为帝国主义列强服务的。

中国的对外贸易，自从一八六四年海关有报告以来，只有一八六四及一八七二至一八七六年输出超过输入，其余都是输入超过输出的。自从一八七七年以后，入超就成为中国对外贸易的一贯的倾向，而且，这种倾向越来越严重。英国、日本和美国，继续地把中国作为它们销纳商品的尾闾，在这里，大小买办们在忙着替他们的主子推销商品；一些中国商家亦在这个时候，忙着接受买办们所交来的货物。国内生产的一些土产呢，亦是经过这些商人和买办之手交给帝国主义列强的。因此，国内的商业，在实质上是替帝国主义列强服务的，是带着浓厚的买办性的。

金融业方面亦未尝不如此。“中国的金融业是顺着票号，钱庄与银行的演变而一天天成长起来的。站在背后的促进力，乃是资本帝国主义对中国经济侵略的要求。在鸦片战争以后，外国商品的进口，逐年增加；它们要从中国搜刮的原料，亦年比一年的增加。为了将大量商品推销到中国内地和从内地吸收原料，就非有就地的金融机关替它们经营货款的汇划不可。外商银行虽然资金雄厚，但它们尚不能深入内地，故必须提拔中国的土著金融组织。最初受到帝国主义列强的青睐的，乃是江浙一带的钱庄。钱庄与外商银行的关系是这样：当外货进口时，钱庄就代进口商开出‘庄票’或‘公单’，外商银行就凭这张单票向钱庄取款；土货出口时，出口商所领得‘洋款’和‘公单’，亦必须经过钱庄而向外商银行兑换或付清。在这种情形之下，钱庄与外商银行的关系便密切起来了。洋商银行在剩余资金的放贷上，需要钱庄作它们的媒介；而钱庄在庄票流通上，则需要洋商银行买办的抬举，在资金的通融上，亦需要洋商银行作后盾。钱庄所发出的‘庄票’，特别是远期的庄票，必须洋商银行收受无阻，才能流通市面，否则进口洋行便不接受它们以清偿进口货款了。在外商银行这种提携之下，钱庄日益发挥其对外商之便利，同时，亦从外商不断地取得佣金或津贴，于是，便胖肥起来了。这就是钱庄代替了那种以经营国内汇兑为业务的票号的写照。至于中国的新式银行，亦是以便利外商银行及商行为前提的。中国的新式银行，以一八九七年盛宣怀所创办的中国通商银行为嚆矢，接着，户部银行（后改名为大清银行，入民国改为中国银行）、浙江兴业、交通银行与四明银行相继设立。国家银行的作用，固然为了财政，但初期华商银行的基本业务，是在资金上协助钱庄，使之完全成上述的任务，而从中取得一部分利益。因为银行是新型的金融组织，它的经营技术（如会计制度与业务组织等）比钱庄来得进步，它的经营方式比钱庄来得扩大，它的资金比钱庄来得雄厚，所以，到了后来，钱庄原来所占的外商银行代理人的地位，便被新式银行夺去了。钱庄就此变为银行的隶属，钱庄必须通过银行，才能取得外商银行资金上的通融。从钱庄到银行的演化，我们不必为前者悲，亦不必为后者喜。它们无论那一个，都是为帝国主义列强服务的。说得更干脆一点，银行的买办性是比钱庄来得更大的。因为银行的资金更雄厚，所以它的活动范围，亦远非钱庄所能比拟的了。例如华商银行还替外资和中国政府作媒介，凡中国政府向外借债，其本息偿清常由华商银行参预管理，同时，在华商银行资本的掩护之下，外资就能更顺利地进行其经济侵略工作了。”（拙著：《中国经济之道路》第廿一——廿二页）由此可见，中国的银行资本，是买办性的；银行资本越大，则其买办性亦就越强烈。大银行家在实质上同时亦就是帝国主义列强的大买办！

殖民地半殖民地的大银行资本和大买办资本，是呼吸相通的。形态虽然不同，但在实质上，它们是孪生兄弟，是沆瀣一气的。

四　官僚资本是怎样构成的?

我们已经解释原始的官僚资本在本质上是地主的资本了；我们亦已经解释中国的银行资本是怎样带着买办性，而高级的买办是怎样千丝万缕地和官僚纠缠在一起了。在这里，我们应该进而研究这两方面是怎样结合起来的。

到底是从官僚发展成为买办呢?还是从买办发展成为官僚?这两种路向都是可以走得通的。

一些代表地主阶级的官僚，开始是从刮地皮，压榨农民以及侵吞公款起家的。官做大了，就会逐渐抬头，去与帝国主义列强打交道，就会负担起为帝国主义列强保障政治经济权益的任务。从帝国主义列强来说，它们是很需要中国这一批为虎作伥的势力的。中国革命的领导者告诉我们：

在买办阶级之外，帝国主义还需要一种更大的社会力量，作为它们统治中国的支柱。这种社会力量就是中国的封建残余。

鸦片战争以后，资本——帝国主义的商品炮弹，虽然不断地向着这个古国进攻，虽然打破了这个止水不波的自足经济，可是它们的目的并不是要把封建的中国变成资本主义的中国，而是在于使中国永远落后，永远做它们的原料生产者，劳动力供给地，商品贩卖场和安全的投资地区。要达到这个目的，维持中国的封建残余是十分必要的了。伟大的斯大林说得很明白：

帝国主义及其所有财政和军事力量之在中国，就是拥护且推动那些封建残余及其全部军阀的上层建筑物，使它欧化，又使它成为守旧的力量。

军阀官僚就是封建残余的上层建筑物。军阀要变大，官僚要变大，如果没有帝国主义列强的支持，那是不可思议的。从李鸿章，袁世凯，曹锟，吴佩孚，孙传芳一直到当今的“最上一人”，那一个不是如此？这么一来，大军阀大官僚就盖上买办的烙印了！

反过来，从大银行家和大买办出发，亦是可以走上官僚资本的道路的。中国的新式银行，归根到底，是以剥削农民去维持其存在的，“在收买农产或预买农产的行为中，钱庄或银行是在干着商业资本的勾当的；在农业仓库的业务中，银行是在干着典当高利贷的勾当的，在农贷与信用合作的经营中，银行是在干着资助地主豪绅以资金，增强其对于农民作高利剥削的勾当的”。不但如此，中国的银行之封建性不仅表现其在农村的侵蚀的作用上，而且表现在其资金来源与存款放款的性质上。中国大多数的银行，在其资金的构成上，军阀官僚地主的投资和存款，占相当大的数目。以银行资金的成长的契机来说，封建性亦是很浓厚的。发行公债就是一个例证。从北京政府到南京政府，其所发出来的公债，十九是以六七折计算，向银行抵借现款或变卖现款的。这么一来，银行资本与当局的军阀官僚便发生极其密切的关系了，大银行资本便一天比一天的官僚化起来了。

在另一方面，如果从发展的观念来说，大军阀大官僚是帝国主义列强在政治上财政上的买办，但同时，还有一些是从买办一步一步走向政治而官僚化起来的。

从官僚发展到买办，从买办又可发展而成为官僚，这是构成官僚资本的二个途径，但在这里，我们必须认清：

（一）不论从官僚发展到买办也好，不论从买办发展到官僚亦好，站在背后的主动力乃是帝国主义列强。帝国主义列强为了它们自己的利益，为了欲使中国长久保持其落后的经济地位，一面制造了买办制度，一面保持了封建残余（军阀官僚地主就是封建残余的代表）。它们两只手，牵着两条线，而又使它们互相渗透起来。

（二）官僚资本是大地主大银行和大买办的资本。大官僚是地主阶级在政治上的代表，而大银行家和大买办必然是官僚化的，所以这三种资本要成为官僚资本，总离不开官僚这个形态，亦就是说，官僚制度是在半殖民地半封建社会中构成官僚资本的契机。从官僚发展到买办这一条道路，是构成官僚资本的主要道路。近代的中国历史亦是明明白白地证明这一点的。陈伯达先生说：

中国大官僚，在各种机遇上，经营了两种“近代”的事业，大工业与银行。历来许多人把由中国人经营的近代机械工业，看成是官僚创始，而忽视了社会经济各种的历史结果，这当然是不对的；不过，许多较大规模的工业，除了外资创办而外，确实是由官办的形式首先着手经营的；近代银行事业的创办，亦是一些大官僚们当外国银行在华发展之后，首先着手经营的。大官僚们所经营的这二种事业，在实质上，结果都成了买办式的事业。

官僚资本亦不断地在“发展”，到后来，它们不但办银行办工业，而且更致力于出入口贸易了。就这样，形成了包括各部门的中国式的独占资本。但在这里，我们应该指出：官僚资本的重镇是银行，因为中国毕竟是一个半殖民地的国度，产业没法开展，而另一方面，银行是社会的会计，金融是工商业的血液。离开银行而欲进行操纵投机，那是不可思议的了。

官僚制度是专制政治的产物，帝国主义列强维持中国的封建残余，支持这种吃人的制度，所以官僚资本是半殖民地半封建经济的产物。离开半殖民地半封建经济这个土壤，则官僚资本便没法生存，更谈不到发展了。

在这本书里，我们将致力于这些高度独占性的官僚资本的组成及其活动方式的分析；我们将依据封建性和买办性二个特点去追究它们，去理解它们。当然，作者亦承认抗战时期在内地有着多量的由贪污由超经济剥削以取得资金而从事于投机操纵的小规模的官僚资本。这样的官僚资本，可以说是“含有浓厚的封建性，但并非买办资本，甚至与后者无关”。对于这种含着浓厚的封建性的官僚资本，在本书里，我们将少加述说。因为它们可以归入原始官僚资本那个范畴中去；而且我们是从运动从发展的观点去研究官僚资本的。原始官僚资本是现代官僚资本的蛹虫，解剖了现代的官僚资本，我们将容易理解原始的官僚资本是什么东西!

第二章　中国官僚资本的发展

一　官僚与现代企业

历史写得很明白，中国的现代企业，是由大官僚们开端的。曾国藩、左宗棠、李鸿章、张之洞、盛宣怀及张季直等创办兵工厂、造船厂、矿务局、轮船公司、铁道以及纺织等等企业。盛宣怀经办了轮船、铁路、开矿、和电报；张之洞创办了汉阳铁厂及萍乡煤矿；漠河金矿和汉冶萍煤矿是李鸿章，盛宣怀创办的；京汉铁路（平汉路），粤汉铁路以至招商局是由张之洞李鸿章及盛宣怀经办的。这些企业的资本，都是属于国家的，但他们还有把自己的一部分资本，投资于实业的。例如李鸿章于光绪十七年（一八九一）设伦章造纸厂于上海；盛宣怀于光绪十九年（一八九三）筹资八十万两，设华盛纱厂于上海；光绪二十二年（一八九六）又于上海设立大德机器榨油厂；张季直于光绪二十四年（一八九八）设大生纺厂于南通；光绪三十三年（一九〇七）及民国十年（一九二一）又于崇明及海门设立大生分厂；至于宿迁的耀徐玻璃公司，则是张氏在光绪三十四年（一九〇八）设立的。

除了上述几人以外，还有不少官僚是投资于新式工矿业的。鲁督胡廷干于光绪三十年（一九〇四）设博山玻璃公司于山东博山；熊希龄于光绪三十四年（一九〇八）设醴陵瓷业公司于醴陵；郑孝胥于光绪三十二年(一九〇六）设日晖毡呢厂于上海；两江总督端方于光绪三十三年（一九〇七）设江西瓷业公司于鄱阳；黎元洪投资于山东峄县的中兴煤矿公司（该公司原为华德合办，光绪三十二年改为华商资本，入民国后因黎等之投资而扩大，成为华商第一大煤矿公司）及济南的鲁丰纺织公司；周学熙设华新纱厂于天津（一九一八），青岛，卫辉及唐山（一九二二）；王克敏创办裕大纱厂于上海，倪嗣冲在第一次世界大战期间，设纱厂于天津。这些例子证明在中国工业资本的原始积累中，官僚资金是一个重要的来源；同时亦证明近百年来中国的官僚，已经开始把他们从刮地皮的一部分资金，向现代工业中投资了。这是鸦片战争以前所没有的。

在这一张冗长的官僚资本的名单中，有几个典型人物是必须注意的，这就是：盛宣怀、张季直和交通系的梁士诒与叶恭绰。

二　盛宣怀

在满清末叶，盛宣怀并不是一等的大官僚。在他的上面，还有曾国藩、左宗棠、李鸿章和张之洞等等。这些以屠杀人民而位跻极品的军阀官僚，如上面所述，亦尝经办了一些点缀着这个大清帝国的“新式工业”。在这里，李鸿章和张之洞更是做得有声有色！李张二人，从军火，冶炼一直到造纸纺织，皆有一些“建树”。李鸿章于同治元年（一八六二）设制炮局于上海；同治四年与曾国藩奏设江南制造总局，光绪八年（一八八二）奏设织布局于上海；光绪十七年创设伦章造纸厂于上海；张之洞呢，他在光绪十二年（一八八六）以四万两筹设缫丝局于广州，光绪十六年设立汉阳铁厂兴办大冶铁矿；光绪十九年在武昌创设织布、纺纱、制麻及缫丝四局，光绪三十四年又奏设湖北毡呢厂于武昌。李张二人在近代中国经济史上，的确有可以称道之处，但以他们本人的财产而言，向实业投资的却并不多。李鸿章只投资于伦章造纸厂，张之洞的实业活动则几乎完全是使用国家资本的。他们个人的资产，极大部分还是购置田产。这一位"宰相合肥天下瘦"的李合肥，在芜湖和信阳一带占有数不清的肥田；张之洞并没有投资工业，他的资产当然又是地产；曾左之流，更不用说了。购置田地对农民作残酷的榨削，显然是他们的生命线！

盛宣怀亦是清末一个官僚，购买田地，广收地租，自然是他所必须采取的途径，但，除此之外，他在新式经济企业活动中，有一个特点，是李鸿章和张之洞等所没有的。这就是，他不但创办新式工业，而且创办了新式运输业；他不但创办了新式的工业运输，而且创办了新式的金融机构——银行。按盛氏自从做天津海关道的时候（一八七九）起，便染指于实业活动。华盛纱厂就是在这个时候筹设的。其后历任商约大臣及邮传部大臣等职，经办了汉冶萍铁厂和萍乡煤矿；他与李鸿章共同经办京汉铁路（平汉铁路）及粤汉铁路；同治十一年（一八七二）他与李鸿章等经办招商局。招商局是第一个新式的航业事业。至于中国第一个自办的新式银行——中国通商银行（一八九七年成立于上海），亦是由盛氏创办的。盛氏向度支部（即财政部）借银一百万两，仿照汇丰银行的章程合股创办。这是一个私立的商业银行而已。八年之后，具有国家银行性质的户部银行（即后来之中国银行）才在北京成立。

盛宣怀的新式企业活动的范围，是超过李鸿章和张之洞的。从工业到运输，从轻工业到重工业，从新式企业到新式银行，他都一一染过指。他利用他的政治地位，创办了一些官营企业，亦创办了他自己私有的一些企业。他的官僚资本比较李张之流，带着更多的“洋味”。他是现代官僚资本的一个典型人物。但在这里，我们应指出的是：盛宣怀在工业及运输业中还没有形成一个带有集中性的集团；他更没有把金融与工业和运输密切地联结在一道，如果从他的资本的活动看来，中国通商银行是他的主要据点；广置田地和城市地皮则为他的另一据点（上海愚园路一带现在还有不少地产是他的遗产）。所谓工业投资，除了华盛纱厂以外，那是微乎其微的了。中国的银行是为帝国主义的经济侵略服务的；而广置田地则以对农民作超经济的剥削为内容。故从这位典型的官僚资本家身上，就可嗅出买办性和封建性来！

三 张季直

张季直的事业基础是大生纱厂与通海垦牧公司。大生纱厂于一八九六年创立于南通本地，到一九〇七年在邻县崇明成立大生第二厂；一九一九年在邻县海门增设大生第三厂；一九二四年又在南通设立一厂分厂。创始时期，一厂纱锭二万余枚，逐年扩充至一九〇七年二厂成立时，两厂纱锭数共达六万六千余枚；一九二〇年第三厂成立后三厂共有纱锭九万六千余枚；到了抗战前夕的一九三七年，大生已经是十八万多锭子的纺织公司了。通海垦牧公司主要是以开辟通海沿海的盐咸荒地去种植棉花，供应原料为业务的，这个公司在一九〇〇年组成。十年之后，“海堤成者十之九五，地垦者十之三有奇”。据张氏自己的报告，垦牧所需资本每亩计二十元，可是垦成之后，每亩地的地价就达五〇到七〇元了。张季直的企业活动，还不仅限于“大生”与“通海”二个公司，他尝经办了面粉厂，吕四盐业公司，渔业公司，镇江笔铅公司，冶炼厂，上海大达轮步公司，天生轮步公司，耀徐玻璃公司，颐生酒厂，大有晋盐垦公司，天生果园，华成盐业公司，淮海银行及新南公司等。在企业活动中，张季直亦是多方面的，他不但致力于纺织面粉，而且致力于垦植渔盐；他不但染指于轻工业，而且染指于重工业；他不但组织了运输公司，而且组织了新式的银行。在他的基干事业中，形成了有机的联系。这就是：“大生”需要棉花；“通海”就以种植棉花供给原料为业务，其他的企业亦是以这二个基干事业为核心的。在这里，我们可以看出张季直的企业活动，是具有一点集中性了！

张季直的企业活动，是以他的社会地位（状元）而不以政治权力作开始的。在创办大生纱厂时，他的职务是“文正书院院长”；他自己并没有资本，自己并不是股东。后来，事业逐渐发展，从此中，他就渐取得资本了。辛亥革命以后，他曾经做过实业，工商和农林各部的部长。这些部长的地位，对于他的企业活动，自然给予不少的便利，但是，他的事业之成就，主要是从经济走到政治，而不是从政治走到经济的。这是张季直在近代中国的官僚资本史中所具有的特点！

四　交通系——梁士诒与叶恭绰

交通系的代表人物是梁士诒与叶恭绰。梁士诒在宣统三年就做了邮传部大臣。他是交通系的核心人物。袁世凯窃国，这位梁财神出了不少的力。袁死后，梁以帝制罪魁，被缉出亡国外；叶恭绰与曹汝霖陆宗舆勾结，成立新交通系。交通系纯粹是从做官，是从经理向外国借款起家的。他们的活动据点是交通银行，因为交通银行在北京政府时代是属于交通部的；而交通部则为交通系的大本营。这么一来，交通银行便成为这些官僚的主要经济据点了。除了交通银行之外，梁叶等还有新华储蓄银行与五族商业银行。按新华储蓄银行成立于民国三年，资本五百万元。五族商业银行亦在民国初年设立，资本并不怎样大。其所以使人侧目的地方是交通系利用他们的政治地位。旧交通系是袁世凯的走狗；新交通系是段祺瑞的走狗，他们就利用其特殊的条件，经理借款，包办国债。民国初年，交通部的铁路借款中，不很少的一部分，是由交通系经手的。民国八年新交通系所经手的日债三万万元，尤为国人所痛斥！

在中国现代史中，交通系替官僚资本开辟了一条新的道路，这就是：直接利用政治地位，直接控制国家金融机关，从事于国债之经理与投机；同时又以国家的金融力量去培养其私人所创办的银行。这一点，李鸿章、张之洞、盛宣怀和张季直等，都是没有的；但，这个极其恶劣，这种极其可恶的作风，却为国民党的五大财团所"发扬"了！

在中国人民还未掌握政权以前，帝国主义列强在华的力量是一年比一年的扩大；封建势力亦不断在设法取得死灰复燃，在这种情形之下，中国的官僚资本就自然不断地胀大了。政局在变化，旧的军阀官僚没落了；新的官僚军阀又代之而起。而在规模与势力上，新式的军阀官僚是后来居上的。这个"青出于蓝"，"后来居上"

的官僚资本，就是统治中国二十年的国民党五大财团。读者们，看看事实吧！

五　国民党的五大财团

陈翰笙先生在他的名著《独占集团与中国内战》（*Monopoly and Civil War in China*）一文中，以那一个使人侧目的人物为第五个集团；如果照事实看来，把这个 Generalissimo's Group 放在第五位是不大相称的。四大家族以他为领袖，以他为中心。“普天之下，莫非王土”，怎么不坐第一把交椅，而坐第五把交椅呢？在金融上，中中交农四行和中信邮汇二局，都是听命于他的；而四行联合总办事处则又以他为主席。“主席总揽一切事务”，“财政部授权联合办事处理事会主席，在非常时期内，对中央、中国、交通、中农四银行可为便宜之措施，并代其行使职权”。“所谓财政部授权”，还不是自己授权自己？在工业上，兵工署的四十余个兵工厂是直接受他管辖的；资源委员会的六七十个矿山和工厂（抗战时尝达一百十六个单位）是受他直接管辖的；交通部的公路总局和招商局亦是受他直接管辖的。他的条子可以指挥一切；他的开支是没法预算的。要什么就得给什么？要多少就得给多少。历年的财政预算案，只在对人民开玩笑。他的“紧急命令”就可把预算表的数额，变成实际支出中的尾数了。在这种“公私不分”“以国为家”的状况下，他怎样不暴富起来呢？

为了面子关系，当然，他不可能处处像《申报》《新闻报》对商务印书馆和中华书局一样，做正面的公开的投资。他亦不可能像孔祥熙、宋子文、二陈及政学系一样，正面的公开的充当什么银行或公司的董事长。他的做法是通过其爪牙去活动。夫人是一位懂得经营的内助，她与美国剩余军人陈纳德合办中美实业公司。同时联衿和大姨子为他经理不少的财产；大舅子和小舅子亦何尝不在这一点上为他效劳效劳？因此，孔宋陈所经营的银行或工厂行号中，有一部分是属于他的。因此，他的财产不但有着国家银行中的“商股”，而且有着外国的股票，黄金和地皮。他不但在中国剥削中国的农民工人，而且远远地侵入南美，去剥削亚马孙河两岸的橡皮园，畜牧场和制革厂的农民和工人了。

这位大人先生虽出身于盐商家庭，虽然做过上海证券物品交易所的经纪，虽然因为经营过食盐与投机而发了“点财”，但若把他当时的那点财与今天他的财富比较，那真是微小到不足道了。这笔没法计算，没法比拟的财富是从什么地方来的呢？难道不是靠他的枪杆而来的吗？他是四大家族的主体，没有他，孔宋二陈就没法存在。故在政治上，孔宋二陈是他的四肢；在经济上，孔宋二陈是他的分行分号。为什么在表面上我们甚少看见这位先生的投资？原因就是在此！

第二个集团是宋子文，宋子良和宋子安等的宋家。宋家原来并没有什么钱，其财产都是这位 T.V. 宋在做财政部长以后暴发的。宋氏是中央银行的第一任总裁（从民十七年至廿一年），他第一个开始了“以行为家”的恶例。因为“兼职不兼薪”，于是他在不支中央银行的薪金的名义之下，要银行支付他的全部家用。这么一来，宋家每月要开支多少，就得开支多少了。民国廿一年孔祥熙取得中央银行的总裁的地位，宋氏调任中国银行董事长；三十三年一月间，老孔又夺去 T.V. 宋的中国银行董事长的地位，但实际上，中国银行仍是宋系的金融据点。T.V. 宋除了把持国家的中国银行之外（他在该行中又握有大量的“商股”），还投资于新华银行、广东银行、中国国货银行、中国保险公司、中国建设银公司和上海银行。在这里，宋家对广东银行有极大的投资。这个银行，几乎可以说全部是他的了；中国国货银行是宋家与孔家合资的；当然，那一位不能出面的大人物亦在这行投下不少资本。要不然，为什么在抗战后期，这个私家银行能获得替政府买卖黄金的权利？

在商业方面，宋家有着大规模的全国性的活动。民国廿五年宋氏组织中国棉业公司并自任董事长，该公司资本“原为五十万元，二十六年春扩充为二百万元，到同年五月便扩充到一千万元”；在业务上该公司在二十五年买卖棉花总额达一千三百余万元；经销纱布约五百万元，其他委托之业务约三百余万元，合共达二千余万元。其次，T.V. 宋自任董事长的华南米业公司是在民国廿六年四月间成立的。该公司资本一千万元，并有流动资金二千万元。这是独占经营洋米入口的一个大组织。同时那个在民国二十六年四月间成立的国货联营公司，亦是在宋家支配之下的（宋子良是该公司的董事）。这是一个企图独占全国国货——从新式工业，手工业一直到土产——的买卖的组织。在香港，宋家又在广东银行楼上设立中国物产公司，从事于各种物资的贸易，抗战的时候，宋家对于重庆的中国国货公司，四川畜产公司及西宁兴业公司等，都有投资，并且是这些公司的大股东。抗战惨胜以后，宋家在香港广州的一些公司都复业了，此外又在上海成立了孚中公司，中国进出口贸易公司，统一贸易公司，金山贸易公司和利泰公司。中国进出口贸易公司是由宋子良出面的。孚中公司亦是由宋子良出面的，而后者且在美国纽约华尔街设立分行。这几个公司都是全国有数的“第一流”贸易公司。

在工业方面，宋家除了通过中国银行去把持郑州的豫丰纱厂，济南仁丰纱厂，昆明云南纱厂，衡中纺织公司，成安纺织公司，及甘肃的兴雍实业股份有限公司之外，又通过中国棉业公司去租办上海恒丰中记纺织新局。直接投资的有扬子电气公司、淮南矿路公司、汉口既济水电公司、中国汽车制造公司、南洋兄弟烟草公司、协和制药厂及中国毛纺厂。协和制药厂与中国毛纺厂是在抗战时期在重庆成立的。中国毛纺厂有一部分国家资本和孔宋二家的合资公司，由有名的火柴大王刘鸿生出面经营。中国汽车制造公司原设香港，规模甚大；日本人占领香港时，机件和设备毁坏一大半。抗战惨胜之后，宋氏又以其政治地位控制到了中国纺织建设公司，同时又通过资源委员会（该会委员长钱昌照是老宋所赏识的人物）去控制华北的八大公司——冀北电力公司、华北钢铁公司、华北水泥公司、天津机器厂、天津制车厂（即敌人之昌和制车厂）、天津化学公司、天津制纸公司及中央电工器材厂天津分厂。矿产方面，宋氏在湖南湘潭一带，买了好几座矿山。

在运输业方面，抗战期间，宋子良成立了西南运输公司。这个公司是交通部公路总局以外的第一个私营的运输公司。这个公司后来改为军委会下面的西南进出口物资运输总经理处。这样的改组，并没有削弱了宋家在这个公司的势力，反而因为使用国家资本而增强其资力与规模。至于招商局，亦是受宋家直接支配的。

宋家的经济活动，买办性是浓厚到没可比拟的。他的财产极大部分是存在外国，用黄金，美钞或美国股票的形成存在着；就是那些在国内与他有关的公司以至工厂，亦多以极大部分的资金换成美钞。他日常讲的是英文，写的是英文，看的亦是英文；一切中文的文件是必须先译成英文然后过目的。他简直是一个皮肤黄色的美国人吧了！在美国社会中，他是一位被那些崇金主义者所重视的富翁！

第三个集团是孔祥熙的孔家，孔家原来是“土财主”。孔的祖父经营票号——“志诚信”。这个票号后来被孔改组为“山西裕华银行”。在天津，孔家又成立了一个货庄叫做“祥记”。这个商行专门买卖匹头，颜料及煤油等等，分店遍设于国内各大商埠，如上海重庆。除此之外，还有七八个大商号。这些商号的招牌都有一个“广”字作冠首。如重庆的“广茂兴”，便是一例，其他各家分布于湖北，广东以至江浙各地。听说，这都是孔家原来的家当，但孔家原来虽然有钱，其更大的财产，却明白是在做官以后获得的。有人说他是“因妻得官，因官发财”，虽则带有谑意，但不能说完全没有根据！

当孔氏在当行政院长的时候，他直接支配了中央、中国、和农民三银行与中央信托局。在国家资本的四行两局中，他竟控制了三分之二，赫然成为当时的“财界领袖之领袖”。孔氏对于中央银行，是以“以行为家”著名于世的，孔家的一切开销，据说连狗吃的牛肉，亦要由中央银行开支。除了三行一局之外，孔氏还通过贸易委员会去控制“复兴”，“富华”与“中国茶叶公司”；通过中国农民银行去控制农本局的福生庄。

孔家在抗战时期大后方的商业组织，除了重庆的祥记公司之外，还有庆记纱号，强华公司，大元公司，恒义升和华盛贸易公司。重庆的祥记公司自备汽车三十余辆，从西南边陲自运商品至内地，这是孔家在大后方的经济核心。庆记纱号操纵大后方的棉纱市场，资力可与福生庄匹敌。孔氏一面握住“公家”的福生庄；一面又有自己的庆记纱号，真是左右逢源了。强华公司亦从事于运输与进出口贸易；大元公司则经营五金电料与汽车买卖。恒义升以经营洋杂闻名海内，上海与重庆皆有公司。华盛贸易公司是与华福烟草公司配合的专门经营卷烟原料，负责的人，是盛宣怀的儿子盛老七，由此可见已经没落的官僚资本是千丝万缕地和新官僚资本联成一气的。在运输方面，孔氏有大陆运输公司；在金融方面，除了独资经营裕华银行之外，重庆的谦泰豫及福钰两银行都有孔氏的股份。在新式工业方面，孔氏亦有一些投资，中国兴业公司，中国制药厂，三才生煤矿公司，裕华纱厂，华福烟草公司，贵州企业公司辖下的中国机械厂，湖南的实业公司及农村水利公司等都是与孔氏有关的。抗战惨胜不久，中国兴业公司关门了；三才生煤矿公司亦解散而并入“天府”。这并不是孔氏财力减低的表现，毋宁说是孔氏集中资金于上海去进行买办事业的结果！

抗战惨胜之后，孔家致力于把资金转移至上海，在上海，他组织了扬子建业公司和长江公司，扬子公司的董事长是孔氏的儿子孔令侃，资本五万万美元，该公司已向十六家美国工厂订有总经售的合同，并且在纽约华尔街一号设有分行，长江公司则兼营粮食及土产，当然对于洋货亦不会放手的。在金融方面，他把裕华银行的总行搬到上海来。在文化事业方面，孔氏又恢复英文的《大陆报》，中文的《大晚报》，并把《时事新报》的总馆从重庆移沪！

孔氏在重庆的时候，有一个集中的组织，这就是那个在二小姐孔令仪控制下的“四联总处”，这个总处以裕华银行为中心，把祥记，广茂兴及恒义升三个商号团结在一道，这是久居重庆的人所熟知的。在上海，他的规模更大了，裕华银行依然是他的核心，扬子公司、长江公司以至恒义升等等，自然又是他的卫星。这是银行资本与商业资本结合的好例！

如果与T.V.宋比较起来，孔氏的“土财主”气味是较为浓厚的。事实上，孔氏是以前资本主义的经济活动起家的。志诚信是票号，而票号乃为封建性的金融组织；天津时代的祥记亦是一种前资本主义的商业资本。在山西，孔家有大量的土地；在上海亦有巨大的地产（大连湾路二七二号房屋之地皮，误被敌产处理局标卖，他愿出二亿元收回，此事曾载于三十五年九月七日之《大公报》）；在南美的亚马孙河两岸，孔家亦有大量的土地。不管是对中国农民亦好，不管是对南美的农民亦好，都是一样作封建剥削的。不过，孔家这种封建性并不是绝对的唯一的；发展下来，就必然要带买办性了。你看！天津时代的祥记不是在经营颜料、布匹与煤油吗？颜料与煤油主要是从外国输入的，就是布匹亦何尝是完全出自本国？他的商业越发展，就越要为帝国主义当买办。抗战后在上海所成立的扬子公司和长江公司，更是露骨地独占着买办生意了！买办与封建，毕竟是不可分的！

第四个集团就是陈果夫陈立夫所领导的CC系，二陈是陈其美的侄儿，是陈其业的儿子。陈家原是湖州帮的头子。日本人长野朗在写《中国资本主义发达史》的时候，曾经说："中国之大财阀与大实业家，大抵都是官僚，如浙江财阀之首脑陈其美，广东财阀之中心人物唐绍仪以及黎元洪张謇等，便是其显著的一例。"陈其美的陈家，听说原来是在经营丝业和当铺的。所谓丝业是对着农民作超经济剥削的勾当；当铺呢，更是贪婪地吸着贫苦小民的血液。在国民党当权以前，陈果夫曾经做过将近十年的当铺掌柜。二陈出身于这样的一种家庭，一种以依靠对农民对贫民作超经济剥削而致富的家庭，自然要为维持这种吸血制度而流其最后的一滴血了。

在国家资本的四行两局和一库中，CC占了二行二局和一库。二行是交通银行与农民银行；二局是中央信托局和邮政储金汇业局。交通银行原来是在那个接近政学系的钱新之的控制之下的；民国三十一年，钱氏因四行专业化问题，为了对付老孔，拉拢 CC 以自重，结果，二陈的大干部赵棣华便进交行当起总经理来了。赵棣华进去之后，童蒙正、侯厚培及孙蕴三等就陆续打进交行了。三十三年陈果夫又打进董事会当董事，CC 在交行的力量更加庞大。在赵棣华的包围之下，钱新之完全变成"周天子"了！中国农民银行原为豫鄂皖赣四省农民银行（民国廿二年成立的）改组而成的（民国二十四年）。这是直接为镇压农民而在内战战场上设立的金融机构。这个银行一开始，CC 系就占了优势。先是孔祥熙当董事长，× 主席接任过一次，又由孔氏转任，卅四年春，陈果夫从老孔身上把该行董事长的地位抢过来。CC 在中国农民银行有着根深蒂固的势力；在陈果夫当董事长以前，吴任沧及徐继庄等已经先后把"底子"打得很好了。在交通银行，赵棣华对于钱新之还有顾忌；在农民银行，则 CC 系是一条鞭的。中央信托局于三十六年三月由吴任沧继刘攻芸为局长。这个局在抗战结束以后，是掌握着进出口贸易的大权的，它是个独占组织。邮政储金汇业局的局长徐继庄是接近 CC 的，CC 的资金活动，有不少是由这位徐局长供应或周转的。一九四一年 CC

又筹设中央合作金库，它的董事长又是陈果夫。在国家资本的七金融机关，CC 竟占了七分之五！私人银行中，上海的大中银行与重庆的工矿银行是有二陈的投资的。成大银行（在香港）亦是 CC 以商人姿态出现的金融据点。

二陈对于中国农民银行极尽其利用的能事，通过这个农民银行，直接举办了农业企业公司，肥料公司，农具公司，农业机械公司，农业保险公司及中国林木公司；与各省合办的，有新疆林垦公司，广西水利垦殖公司，浙江林垦公司及福建林垦公司等。中央合作金库由国库拨支并由农行出资三分之一，陈果夫之能抢得这个库，就是利用农民银行的资金的结果。经过这个金库的线索，CC 又控制住全国近五百个省县合库了。除此之外，抗战时期在大后方成立的大华企业公司及华西建设公司等，亦是陈家在农林范围进行活动的组织！操纵着全国的农业金融，控制着一些掠夺农民的农业公司，乃是 CC 系官僚资本的一个特点。

CC 系官僚资本的另一个特点是新闻事业与出版事业的垄断。这个特点是从“蒋家天下陈家党”的党务而发展起来的。因为二陈包办了国民党的党务，在一党专政之下，新闻与出版是被统制的。控制全国新闻的最大的宣传机关是中央社。这个中央社是直接握在CC手里的；报纸方面，国民党中央，省县党部所办的四百家亦是握在CC手里的。在其中,《中央日报》和一些什么《国民日报》固不用说了，就是以民间报纸的姿态出现的上海《申报》《新闻报》和天津重庆的《世界日报》，亦都是CC系的财产。出版方面，正中书局、中国文化服务社、独立出版社、大东书局、拔提书店等等，都是属于CC的；就是中华书局及商务印书馆，亦是不能脱离CC的势力范围。中华书局在抗战时期，归入孔家与二陈的掌握；商务印书馆则是在民国三十四年春间用经济部长的地位钓出王云五时被他们攫去的。在其他文化事业方面，所谓“农业教育电影公司”与“中国广播公司”亦是陈果夫筹组的！

CC系虽然以把持农村金融及文化事业为其特点，但在工商业方面，它并不是没有势力的。在抗战时期，CC在大后方所设立或投资的工商企业，计有：华建贸易行，华华绸缎公司，棉花运输公司，大华企业公司，大公铁厂，中国工矿公司，大中华煤气运输公司，中国汽车制造公司，中国粮食公司等等。在其中，中国粮食公司与华华绸缎公司是与孔家合办的。华华绸缎公司是CC系中最赚钱的公司，它在成都桂林都设有分公司，什么商品都囤积，并利用三地公司与分公司彼此间的联系及自己的卡车，对于运输货物，甚为灵活，故营业蒸蒸日上。抗战结束之后，CC又乘劫收之便，从华中华东日方接下了一些缫丝厂，成立一个独占性的中国蚕丝公司。同时，又把上海的民间缫丝织业组织起来，成为一个丝织外销联营公司，他们的私人企业，则有太平兴业公司、华美贸易公司和建华公司等。太平兴业公司是由陈其采出面经营的；建华公司则是用二百三十条金条连房子从一商人顶到手的。设在上海外滩麦加利大楼上的建新实业公司亦是CC在商业等方面的据点。

二陈的家庭虽然原来有点钱，但这种有钱的程度是比不上老孔的；他们又没有T.V.宋那样的洋派，再加以他们的家庭背境，所以他们的侵占抉削，是极其野蛮，极其残酷的！

在国民党的官僚资本之中，除了四大家族之外，还有一个政学系是必须述及的。政学系溯源于民国初年，当时与袁世凯分庭抗礼的大军阀是岑春煊，在岑氏领导之下，有一班政客组织了政学会，会中著名人物有李根源、张耀曾、杨永泰、张群及吴鼎昌等。民国六七年国会分裂时，政学系即利用李根源参加西南讨袁的地位，在西南正式组成。当时他们的做法是拥护满清遗老岑春煊，排斥孙中山先生所主持的西南军政府，以后南北和议，政学系成为西南与北洋军阀妥协的媒介，其后又参加徐世昌及曹锟政府，成为北洋政府中不可缺乏的集团。北伐时，张群首先代表北方军阀到广州和南昌与老蒋勾结，进行其“政治南伐”，南京国民政府成立之后，杨永泰经熊式辉的介绍，得任蒋委员长南昌行营秘书长。杨为人深于谋虑，长于辞应，不久深得当局倚重，言听计从，成为各方侧目人物。此时，黄绍雄任内政部长；张群、熊式辉、刘镇华、陈仪皆各据要津，政学系煊赫一时！二十五年杨氏被刺殒命；黄郛刘镇华相继逝世，直至抗战初期，政学系稍为沉寂！但不久，政学系人物又东山再起了！张群隐然继杨永泰氏为该系领袖，熊式辉、吴鼎昌、翁文灏、陈仪等又是各据要津！抗战惨胜之后，政学系的光芒，不但未尝略减反而在咄咄迫人。三十六年四月间张群荣任行政院长，张公权则在张群任行政院长以前就从宋系的贝祖诒手中夺得中央银行了。

在南京政府成立以前政学系早就利用其政治地位，成为北方官僚资本的中坚了。他们的据点就是北四行。在北四行中，金城银行是它的核心；而金城银行则是当今国府文官处处长吴鼎昌氏的重要事业之一。政学系通过金城银行去支配北四行。在国民党政府的四行两局组织成功之前，北四行是中国金融界中“半官半民”的一个独占组织，在华北的工商金融，它是具有扩大权威的。在国家银行中，张嘉璈在中国银行有着不少的势力。梁启超在民国初年任北京政府财政部长时经张君劢之推荐，使张嘉璈为该行总经理。一直到宋子文打进去时，张才离开。交通银行的钱新之亦为政学系的一份子。三十六年三月间张嘉璈取得中央银行之后，力量又更扩大了。

在工矿事业中，吴鼎昌、陈仪及翁文灏等，皆有一些基础。当吴鼎昌任贵州省主席时，政学系的势力，掌握了贵州企业公司；当翁文灏任经济部长时，该部最重要的一个机构——资源委员会亦是被政学系所掌握的，一直到现在，资委会仍然充满了政学系的干部，到了陈仪任台湾省主席时，那就更威风了。中央银行的钞票被他挡在台省的大门以外，独特的台币竟公然与法币分庭抗礼！至于日本人在台湾所遗下来的企业，更没法逃出该系的掌握。有名的台湾糖业公司就是陈仪控制下一个大托拉斯，这个公司是合并十六家日本糖公司而成的；除此之外，他还有台湾石油公司、台湾纸业公司、台湾肥料公司及台湾制碱公司等组织；同时，还以行政长官的名义接收了三分之二的“公有土”和九分之一的“日本移民的私有地”；全台百分之七十以上的耕地都握在省公署手里。抗战后翁文灏虽退出资源委员会，但那个带有独占性的中国石油公司却握在他手中，张嘉璈的弟弟张禹九则握住那个独占了中国植物油的中国植物油料公司。

在出版事业方面，有名的《大公报》是与政学系有密切关系的。吴鼎昌是该报的创始人之一，而且在实际上是这一报纸的后台。政学系的做法比较孔宋或 CC 聪明得很多。在表面上，他们好像是在干事业而非“官僚资本”似的。政学系的利害处，就在这里！

政学系是国民党四大家族的官僚资本的傍支。但，四大家族的傍支，并不仅仅是只有政学系。除了政学系之外，还有一些利用军费克扣军饷的军官资本。

在部队中，中下级军官假定从克扣军饷起家的话，为数亦是很有限的，因为经过他们手里的粮饷并不怎么多。带兵而能发财，当然只有高级军官了。在今天的中国，闻名的军官资本是不少的。据说那一位当过参谋总长的何大将军是美国银行的最大的中国存户。为了这一件事，何将军尝在国民党一次会议上提出一个提案，要求没收中国人在美存款，以释群疑。这是一件很聪明的办法；没收华人在美存金，只能没收到那些无权无势的小户而已，大户是没法动一动的，何况是何大将军？又据三十五年九月间上海《大美晚报》所载，何将军在上海的房捐占全市的第六位。从此可见：何将军又是一位大地产家了。如果把他在贵州企业公司的一些投资算在内，则何将军乃是一位很杰出的军官资本！其次，现在正在做陆军总司令的顾将军，在“接收”之后，对京沪的经济活动，亦感兴趣，已被知道的经济组织计有：（一）新民企业公司，资金十亿元；（二）中美联合公司，资金三亿元；此外，尚组织一个运输公司，专门将上海的面粉运往苏鲁，又将苏鲁之盐运往汉口。为业务的需要，有时可动用资本至一千亿元上下。这是不能不使人惊异的了！三十六年二月上海的金融风潮中，沪报揭露某些军官利用军费扒购黄金美钞。这亦证明军官资本的活跃了！

六　地方官僚资本

关于地方官僚资本，我们将举晋阎，青宁二马及川康滇为代表：

（一）阎锡山生在山西五台县河边村一个票号掌柜的家里，长大继承父业，亦尝在太原一家票号做店员，后因保送，至日本入东京士官学校，回来便在满清政府治下做山西军官，辛亥革命后，他从续西峰接得山西政权，他是军阀中一位“不倒翁”，从满清政府、袁世凯的洪宪、溥仪复辟、军阀混战、北伐以至几次的反蒋战争，他依然保持着山西的地盘。一切为了自己的存在，故在抗战时，他甚至可以同日寇公然勾结。经过二三十年的刮削，他是山西第一号大地主，同时又掌握了山西的金融工业和运输机构。民国廿一年他组织了一个康采因式的西北实业公司，“七七事变”前已经发展到三十三个单位。还有五个大银行——山西银行、盐业银行、铁路银行、实业银行及土货银行，垄断了太原所有民营的商店。银号、铁木工厂、烟草公司甚至布店饭店都被逐渐吞并。在运输方面，那两条狭轨的正太同蒲铁路，战前也是不归南京铁道部所管辖而由老阎自己独占的。阎氏的“明堂”很多。他的“物产证券”与按劳分配的学说；他的兵农合一与兵商合一的办法，把山西人民的稀薄的血液差不多弄干了！抗战时，又使用他的“国富民贫”的理论，将晋西南统治区内的一切大小商店、山林、田地征为“公”用；由晋北人以大小官吏的身份经营与管理！在日寇侵陷的地区因为他和敌人公开勾搭，所以他的利益并未受到损失，日寇替他保存得好好，当他回到太原的时候，一切都完好地归还他，他亦保存了几千日军在太原作为报答。

（二）上海《新民报》曾经登载过一篇报导，题目是“万物育马”。那是一篇生动的文章！这一位宁夏主席马鸿逵对于“生财”，是不落人后的。土地是没法计算的，我们不谈他的地产，单单看他的工商经营就够使人吃惊了。三十年他在永宁与傅作义合资办绥宁动力酒精厂；三十二年在石咀山设立达精碱公司。此外，有一个手工毛纺织厂是吞并若干民营小厂的机器及工人而成的，出产毛毡地毡；又有一个甜菜糖厂，附属在酒精厂内，由马主席独资创办；有一个火柴厂，亦是他独资办的。同时建设厂所办的机器厂，铁厂，瓷厂；宁夏银行所办的纸厂，玻璃厂，毡帽厂，甘草膏厂，羊毛打包厂；农林处所办的卷烟厂，牛奶厂；军需处所办的二个面粉厂，一个皮革厂，一个被服厂；省交际处办的银川饭店及该店办的新宁旅社；二少爷办的新声舞台等等。归根到底，无一不是这位马主席的财产！

那一位青海主席马步芳，对于工商业亦很有兴趣。他在海晏县办有集体农场；在湟源县设有渔场贩卖部和湟中实业公司。这个公司是马氏统制机构的枢纽，该公司又附设制呢毡的机构。除此之外，他又开设各种可以赚钱的商铺——如昆仑大旅社，湟光影院等。有人估计全省财产十分之六，是属于他的。

（三）四川的地方资本大都与刘湘的二十六军有关系，刘航琛，何北衡，卢作孚和潘昌猷等皆可作为代表。刘氏是川省最大的金融家，“川盐”、“和成”、“美丰”、“川康平民”、“聚兴诚”五个银行和“和通”、“华康”及“和丰”三个银号钱庄，都以他为大股东，通过这些银行，他把资金又投到工商运输各业去。投资单位约有数十个之多，何北衡和卢作孚投资于工业较多。何氏历任川省建设厅长，财政厅长；卢氏则为民生公司的创办人。潘昌猷是潘文华将军的兄弟，他以重庆银行为重心，向大华实业公司、四川水泥公司、重庆电力厂、四川银行、四川建设银行、华西兴业公司及华昌煤矿公司等投资，此外，又以重庆银行的资本设立庆昌及华昌二个公司，经营商业。

云南的地方资本可分为省企业局及云南经济委员会二个系统，前者以陆子安为主脑，后者以缪云台为主脑；陆氏辖下的产业单位有二十四个，缪氏辖下的单位有五十三个。但国民党夺取云南的政权以后，这二个系统的各个单位都被劫收了。

西康方面的工业商大半是握在刘文辉氏的手里，但规模并不怎么大。因为西康是一个经济落后的地方。

除此之外，两广的地方官僚资本亦是值得注视的。以广东而言，余汉谋之后，来了李汉魂；李汉魂之后又来了罗卓英。在位的时候广东的省银行和实业公司便成为他们的荷包；下台之后，从广东搜抉到手的财产便成为他们在省港投资的本钱了。广西的李白，自己是不出面经营商业的。但他们的代表（从夫人到贵戚），何尝不在代他们执行这些业务！

地方性的官僚资本，有一些是四大家族的代理人；有一些是依附四大家族以自存；有一些则是与四大家族处于对立的地位，经常受到四大家族的压迫蚕食的。在这里，我们不但可以看出他们彼此间的经济矛盾，而且可以看出他们彼此间的政治关系来！

七　五大财团是空前亦是绝后的

根据上面所述，我们可以看出：中国的官僚资本发展到国民党的五大财团，是登峰造极的了。他们独占了全国的金融——四行两局和大量的商业银行；他们独占了进出口贸易，把买办业务握在自己手里；他们控制了国家资本的全部工矿，并且掌握了极大部分的私人工厂；他们握有巨额的地皮、田地和房产，通过地租和高利去吸尽农民的血液；他们独占了全国的报纸，广播和出版事业，配合着思想统制，企图借此去垄断全国人民的头脑！在这种情形之下，原来作为他们的社会基础底江浙财阀，反而被他们压在脚下，成为他们的附庸了。一个时期，敢于与他们对立的地方资本，如川康的刘潘，云南的龙云，亦逐渐在四大家族的巨拳打击之下，先后宣布解体了。只有阎老西和青宁二马那样的人物，才唯唯地在他们的控制之下愿意做他们的藩臣！

替中国的现代工业和银行开端的清末大官僚，如李鸿章，张之洞及盛宣怀之流，他们虽然在得势的时候，把厂矿作衙门；但他们的活动范围是有限的，垄断独占，自然谈不到。做了皇帝的袁世凯，何尝不是威风一世？但他的命令却不能及于上海的中国交通两银行（袁氏要中交两行停止兑现，宋汉章等抗命不理）。更谈不到金融、贸易、工矿、农业和出版的独占了。交通系是知道把持国家银行操纵金融的，但他们只握有二三个银行，如果与五大财团比较，实在太渺小太不像样了！

国民党五大财团压倒过去数十年的一切官僚资本，亦压倒了同时的一切地方资本。五大财团官僚资本在中国历史上是空前的。过去和现在的官僚资本没有一家能同他们并肩看齐！二十年的血腥统治，二十年来对于中国人民的无情劫掠，使他们“成为中国有历史以来，并为历代帝王所望尘莫及的，以吸血为生活的最大富翁”。但他们越加肥胖，则越益加强其腐烂性，越益走近其坟墓。看看中国人力量的增长，看看新民主主义势力的扩展，看看统治者的军事和经济的不断崩溃，我们相信这个腐烂的封建买办统治，是没法持久的。中国是人民大众的，是新民主主义的。新民主的中国，一定要扫清一切封建的买办的积垢，一定要消灭买办制度与封建制度的混血儿。五大财团官僚资本是不容许在新中国存在的！

因此，五大财团官僚资本不但是中国近代史上空前的大独占集团，而且亦是绝后的大独占集团！

第三章　官僚资本的类型

一　七种结合形态

中国的官僚资本——特别是五大财团，并非单纯用他们所刮削得来的资金去进行其经济活动的。正相反，他们除了在比较少数的场合以某一家族或二个家族组织某一企业之外，还利用国家资本、外国资本以至民间资本去进行其“神出鬼没”的活动。这就是官僚资本的结合方式的问题。

如果从资本的结合方式去着眼，则四大家族的官僚资本可以归纳为下列几种类型：

第一、完全属于五大财团自己的官僚资本，即“固有意义的官僚资本”；

第二、被五大财团所利用，所把持操纵的国家银行或工矿贸易公司；

第三、与国家资本结合的官僚资本；

第四、与民间资本结合的官僚资本；

第五、与国家资本民间资本结合的官僚资本；

第六、直接与外国资本结合的官僚资本；

第七、在政治上经济上依附五大财团的地方官僚资本。

五大财团就是通过这七种“类型”去垄断全国的经济的。伦德堡（F. Lundberg）在其名著《美国六十家》中，尝沉痛的说：

> 和在封建社会一样，产业资本社会私有财富的统治中心，依然是家族血统和亲友朋党的结合，指挥银行和金融组合操纵公司的后台老板是家族集团。

中国直到今天，还是半封建社会，家族血统自然更占重要了！让我们看看五大财团是用什么组织方式去指挥银行和操纵公司吧！

二　固有意义的官僚资本

所谓固有意义的官僚资本，就是指那些完全属于官僚军阀本身的资本。统治者的这些资本，是他们利用枪杆或政治特权从人民身上刮削得来的！军阀官僚利用政治特权获得这些资本；又利用政治特权去运用这些资本。在组织形式上，他们或者独资或者与其他官僚资本合资，开设银行、商行或工厂。这是官僚资本的基本组织。

在五大财团中，孔家比较倾向于独资经营。山西裕华银行、祥记公司、扬子建业公司、长江公司以及《时事新报》《大陆报》等，就是例子。宋家对于这种组织的兴趣比较差一点，但这亦不是绝对的。孚中公司和中国进出口贸易公司，就是宋家独资的组织。独资经营的好处是可以“任所欲为”，缺少人事的“掣肘”，但，这无疑是一种封建性的组织；而且，这种形式容易引起人民的注意，容易引起人民的指责，容易使自己陷于孤立的地位。因此，他们多采用合资经营的方式。

在这里，所谓合资经营当然是指官僚资本与官僚资本的两合公司或股份公司，前面所述的中国棉业贸易公司，重庆中国国货公司以及西宁兴业公司等，大半是宋家与陈家金融系统共同投资的；抗战结束后在上海所成立的立达公司及金山贸易公司，则为宋孔二家合资经营的组织（宋家在这些公司中资本占得多一点）。那一位使人侧目的大人物，就是最善于把资本与其他三家合伙或搭股的。

五大财团之间并不是没有矛盾，但他们彼此间的矛盾并不是绝对的。他们彼此间的矛盾，决不会压倒他们彼此间的统一。这种统一，表现在他们的“通力合作”；在经济上，这种通力合作表现为他们的合伙投资。

官僚资本间的合伙投资，使他们在血统纽带和政治纽带之外，再来一道经济纽带。这种经济纽带对于他们的活动与发展，是很有补益的。一来可以使四大家族在经济上联成一气，“正如在社会经济事业上各董事会与公司理事之彼此互相参加一样”（伦德堡）；二来可以吸收五大财团以外的官僚资本作为他们的附卫，借以减少五大财团与五大财团以外的官僚资本间的矛盾，并收“官官相卫”之效。举一个例吧！民国廿六年四月间，宋子文开办了华南米业公司。当时的舆论是反对洋米免税进口的，但该公司董事之一吴铁城却在该公司成立之前两日，电请南京政府准洋米入口免税。这么一来，华南米业公司就大发洋财了，但中国的农民却因为洋米的压迫而更加破产！

三　被控制的国家资本

如果从形式上说来，国家资本并不一定就是官僚资本，因为国家资本并不是私人资本。可是，这种形式逻辑是不能解决问题的，是不能把握事情的真象的。在国民党统治下的中国，国家就是五大财团的私产；国家资本在实际上就是五大财团的私人资本。所谓“国家”，所谓“政府”，不外是他们用来掠夺人民的“名义”吧了；所谓国家资本，自然是五大财团官僚资本的另一种形式，挂着国家招牌的形式。

在前面，我们已经提到：中央银行是完全“官股”的；由中央银行所派生出来的中央信托局是完全“官股”的；兵工署辖下的四五十个兵工厂是完全“官股”

的；资源委员会属下的七十多个工矿单位是完全“官股”的；抗战结束以后所成立的中国纺建公司、中国蚕丝公司、中国石油公司以及由中信局投资设立的中央合作金库等，亦是完全“官股”的。这些完全官股的金融机关和工商组织，实际上完全被五大财团所瓜分所把持了。CC抢了中国蚕丝公司，中央合作金库；宋系控制了中国纺建公司和中国石油公司；还有央行、中信局兵工厂以及资委会的工矿企业等等，这些机构虽则分别由各财团掌管，但实际都拱卫那位“大人物”。中信局替他做进出口贸易并印刷钞票；中央银行替他做账房并发行钞票；资委会替他制造原料，兵工厂替他制造内战的一部分枪弹。从内战起家的五大财团，当然不能离开内战。统治者以国家的名义去进行其私图，这些所谓官股的国家银行及企业，自然就成为他们的私产了！

五大财团之霸占国家资本，并非只有上述一个形式——即某一家族控制某一个国家资本的机构，而是很复杂的。下面三种形式就是例子：

第一是在控制了某一国家银行之后，又进而利用这个机构去投资或产生另一个新的派生机构。五大财团中，

CC最善于使用这一形式。以农民银行为例，它除了与其他各部或中中交三行合办某些企业之外，还大量地“直接举办”一些企业。如前述的农业企业公司、肥料公司、农具公司、农业保险公司及中国林木公司等，都是CC利用农民银行的资金去创办的。上海正大商业储蓄银行亦是CC利用农民银行和合作金库的资本去收买的！老孔方面，他于三十六年三月利用中国银行董事长的地位，组织益中实业公司，垄断冀鲁二省的榨油、纺织及面粉等业。

第二是利用某一个国家银行去与另一个国家资本的机构合作，产生第三个金融或工商业的组织。例如中国粮食公司是粮食部与中国农民银行合办的。中国农民银行握在陈果夫的手中，农民银行既为投资的大股东，则这个公司自然成为CC的派生的经济据点了；又如中央合作金库是由农民银行与“国库”合资经营的，“国库”拨支半数，农民银行出资三分之一，其余六分之一，则由各地合作社及省县合作金库摊派。故在这个“合作金库”中，CC占了绝对优势。理事长是陈果夫，总经理是寿勉成，而谷正纲、赵棣华、顾毓瑔、骆美奂、侯厚培、陈布雷、张厉生及吴任沧等则分任理事或监事。这么一来，全国近五百的省县合库，就成为CC中央合库的子公司了。除此之外，CC又利用农民银行的资金与新疆省府合办新疆林垦公司；与广西省府合办广西水利垦殖公司；与浙江省府合办浙江林垦公司；与福建省府合办福建林垦公司等等。

第三，四大家族不仅利用国家银行的资金去产生“子公司”，而且又进而通过“子公司”去产生“孙公司”。例如CC通过前述之中国粮食公司，在汉口与湖北省府合办汉口碾米厂；又通过贵州企业公司与农林部合作，扩大了中国农业机械公司。故这个由著名工程师支秉渊氏任总经理的农业机械公司，实际上乃是CC的一个孙公司吧了！CC的“雄心”是很大的。它企图使用这种办法去控制全国各地的企业。三十五年八月间赵棣华又利用交通银行总经理的地位，筹组一个复兴实业金融公司，资本定为美金五亿及法币五十亿元，“由国家银行、商业银行、信托公司及保险公司等认足。业务为代工矿各业订购国外机器材料”；“新设之工矿企业，资金不敷，得请求代为筹集，或量予贷助，或由公司代向外商接洽投资或长期贷款”。这是一个投资的托拉斯组织。如果这个组织能成功，则CC就可以通过它去发展许许多多工矿业的孙公司了。

四　与国家资本结合

有一些官僚资本是与国家资本结合在一起的。这里的官僚资本，在形式上是叫做“商股”；而国家资本呢，则是被人叫做“官股”的。例如中国银行和农民银行都是叫做官商合办的。又有官股，又有商股，对于这个形式，陈伯达先生写得很透彻。他说：

> 如大家所知道，所谓“官股”既是代表蒋宋孔陈四大家族皇朝；而另一面，四大家族又是所谓商股的主要代表。比如，在二十四年中国银行改组之后，董事长宋子文及其弟宋子良是所谓“官股”董事，而财政部长兼中央银行总裁孔祥熙却是“商股”董事。在三十三年中国银行股东大会之后，宋子文亦和孔祥熙一样

地变成“商股”董事了，但他的弟弟宋子良却仍是“官股”董事，陈果夫现在交通银行与农民银行里面，亦都叫做“商股”董事呢！至于四大家族的经纪人，在各银行中，当然亦时而“官股”董事，时而商股董事；或者这里是“官股”董事，那里又是“商股”董事：例如宋氏门下的现任中国银行副总理及中央银行总裁贝祖诒（按贝氏已于三十六年二月底撤去中央银行总裁之职——引者）亦是中国银行的商股董事；陈家CC系的赵棣华原来是“交通”的官股监察人，现在则是商股董事了。总之，四大家族是亦官亦商，左右逢源。蒋家朝廷二十四年公布的《中央银行法》，认为必要时得“招集商股”，原来亦不过是为四大家族在中央银行里面准备商股的地位。（《四大家族》第十九页）

以国家资本为主体而加入官僚资本的“商股”，如中国银行与交通银行，是“官商合办”的一种形式；以官僚的私人资本为主体而加入国家资本的“官股”，利用国家资本去壮大的资金，则是另一种官商合办的形式。例如中国国货银行是以孔宋及他们的姻戚的资本为主的，在这里，还有不少的“官股”；新华信托银行原来是私人资本的，但民国二十年中国交通二行加入官股之后，就变成官商合办的了。此外，四明银行、中国通商银行及中国实业银行原来都是商办的，民国二十四年当局又以“官股”加入三行，使它们成为四大家族控制下的官商合办的银行！

五　与民间资本结合

官僚资本除了控制国家资本利用国家资本之外，还尽量地去控制民间资本。这就是与民间资本结合，利用一些民间资本家去点缀其所开设的企业；利用一些民间资本家的能力与社会信用去发展其银行或公司，或者借尸还魂的把自己的官僚资本穿插到一些已经在社会上占有地位的企业组织中去，使这些企业在实际上完全变成它们的俘虏。在这里，我们可以看出官僚资本与民间资本的结合有二种方式：

第一、某些民间金融家或民间工业家，为了扩大其资金并减少种种困难，常投靠于官僚资本。江浙财阀当初是扶持五大财团统治中国的社会经济基础（当然，还有大地主封建势力），但当五大财团建立了他们的政权之后，就压倒了那原来扶持他们起来的旧封建买办金融势力，使所谓江浙财阀分解而变成五大财团的附属物。你看：在民国十六年以前早就在金融界中显赫的宋汉章、李馥荪、陈光甫、徐寄庼等人，那一个不变成为五大财团的经纪人？他们所经营的商业银行——如“浙兴”、“浙实”、“上海”、“新华”、“中和”等等，那一个不是或多或少地渗入了四大家族的资本？你看，那位鼎鼎大名的火柴大王刘鸿生不是当过国货银行和中国毛纺厂的总经理吗？谁都晓得，国货银行是孔宋和草头先生的资本占优势的，中国毛纺厂则为孔宋和草头的三合公司。此外，上海的大中华火柴厂刘氏是最大股东，孔宋亦为最大股东，香港的大中国火柴厂则是宋刘二家对分的。刘氏现在已逐渐走入仕途，真是“商而优则仕”了。软弱的中国民族资本充满了依赖性，有些地方表现着对于帝国主义的依赖性；有些地方则表现着对于官僚资本的依赖性。官僚资本是很欢迎这种依赖性的！

第二、某些民间企业，因为资金困难，或处境不利，常常被官僚资本所窜入。这种结合的方式是带着迫胁性的。T.V. 宋对于广东银行和南洋兄弟烟草公司就是采取这一方式。广东银行成立于民国元年，发起人为广东省港的侨商；民国廿四年因历年损失过重而陷于周转不灵，在这个时候，就被 T.V. 宋打进去了。老宋一进去以后，清理债务，增加资本并且在旧金山设立附属银行——仍名广东银行（美国注册之唯一华资华营银行）。旧时股东都退避三舍了！南洋兄弟烟草公司创设于民国纪元前六年，第一次世界大战期间，营业甚发达；战后受英美烟草公司的压迫，“五卅运动”抵制英货的结果，南洋兄弟烟草公司又获得好转的机会。至民国廿五年 T.V. 宋收买了广东银行之后又进而收买该公司一半的股票，至是，南洋兄弟烟草公司的支配大权就完全落在宋家手里，原来创立这个公司的简家，反而处于毫无权限的被支配的地位！老宋对于广东银行和南洋兄弟烟草公司的这种做法，只是许多事件中的举例而已。其他三大家族，亦何尝不是如此？中华书局和商务印书馆之归入四大家族——特别是孔陈，就是采取这种方式的！

政学系官僚资本所采用的形态，比较侧重于与民间资本合作或采用民间资本的姿态，金城银行和《大公报》就可作为代表；一些江浙银行家亦与政学系有渊深的关系，李馥荪、陈光甫、钱新之、和徐寄庼与草头宋孔很有关系，但对张嘉璈的交谊更深。

六　与国家资本及民间资本的结合

官僚资本不但与国家资本或民间资本结合，有些场合，亦且与国家资本及民间资本结合；有些场合，则以经纪人的姿态，活动于国家资本及民间资本之间而取得支配操纵的作用。兹以湖南实业公司和丝织产销公司作为代表：

（一）湖南实业公司除了官股之外，还有“民间投资”。在这里，“民间投资”又可分为二种：一种民间是指真正的人民（主要是农民）；一种“民间”则为以商股的姿态出现的官僚资本。人民是不愿投资的，但政府当局却以公开强制摊派或征派股本的办法，去迫取人民的血肉；至于官僚资本呢，那就在这里“得其所哉”了。湖南实业公司的最大的“民间”认股者是孔祥熙，孔家就用这种办法，把官股和小民的血汗一齐吞下去了！此外，川康兴业公司亦有类似的状况，政学系利用其权位硬把粮款充作它的资本。因为分赃不均，致引起 CC 系的攻击！

（二）上海的丝织产销公司是在三十六年一月十五日成立的，这个公司是政府银行和丝织业的结合。由中央、中国和交通三行“低利贷款”；由中央信托局供给原料；由中国蚕丝公司发料监督；而上海的丝织业则变为由中央、中国、交通、中信及中蚕五单位所组织的“丝织品外销管理委员会”的织户了。在这里，CC 系起了拉皮条的作用。你看，发料兼监督的权力不是握在中蚕手中吗？这个产销公司的主要负责人不是骆清华吗？中蚕是 CC 的经济据点之一；而骆清华则为 CC 系在上海经济活动的重要干部。明乎此，就可了解官僚资本的活动是没孔不入的了！

七　与外国资本结合

五大财团在官办形式方面，在不少场合，是与外国资本直接结合的，资源委员会就是最显著的代表。在抗战以前，该会在“技术方面，钨铁厂与德方合作；炼钢厂与德英两方合作；煤炼油厂及氯气厂与德方合作；机器厂与美国及瑞士两方合作；电工器材厂与德英美三方合作”。据《时事类编》五卷二期所载：先是“关于德国对华投资，有种种传说如下：一九三八年八月为设立钢铁工厂，中德两国成立五千万元的借款，又中德合办江西采矿公司，资金六百万元，其他还有投资二千万的四川采矿公司，湘黔铁路的材料借款，电力工业和化学工业的德资活动亦不一而足”。资源委员会的钨铁厂是完全与法西斯德国合作的，设备、机件、技术完全是由法西斯德国包办的；至于那个有名的“中央钢铁厂”亦完全是与法西斯德国合作的产物，经过“委员长批准”，“设计监造由克虏伯厂总其成；土木工程由西门子建设部负责”。

抗战胜利之后，美国资本代替了德国资本而侵入资源委员会了。中央机器厂有限公司工具机新厂已与美国摩那基车床制造公司签订技术合作合约；中央电工器材新厂已由资委会与美国西屋电器公司签订技术合作的合同；电线新厂亦与美国通用电缆公司及加拿大北方电器公气公司洽商合作；中央无线电器材有限公司筹设新厂已与美国的 DBCA 商定技术合约；中央有线电器材公司新厂正与加拿大北方电器公司商洽技术合作。

在交通方面，中国航空公司在三十五年改组时，美国在一千一百三十余万美金的总资本中，占了百分之二十；对于粤汉铁路，美国投资六千一百余万美元，占全部资本三分之二。

在贸易方面，中美实业公司是五大财团官僚资本与外国资本合作的一个垄断组织，三十六年一月八日上海《文汇报》有这么一段报导：

> 著名之大进出口行“中美实业公司”，资本额达数十亿之巨。外传系由陈纳德主持，而与中国四川、云南、广西各省显要及中央政府某些大员合办者。昨日记者往访该公司某负责

人，渠并不否认陈纳德为股东，但云陈之股东仅为一部分。陈现任该公司常务理事之一，亦不否认有内地各省显要与中央大员参加，并坦然指称：做生意人不认人只认钱；出钱即做股东。中国农民与工人以及新闻记者等均无钱，所以能出钱经营事业者，只有官僚资本、买办资本、与帝国主义资本。

这句话是很坦白的，在半殖民地半封建的国度中，能出钱经营事业的当然只有官僚资本与帝国主义资本！这就肯定了官僚资本与帝国主义资本结合的必然性了。

八　地方官僚资本的形态

以上所述，是以国民党中央的五大财团的官僚资本为对象的。其实，在独裁政治之下，除了五大财团之外，还有许许多多的旁支或地方性的官僚资本。各省当局所控制的工商金融等等，就是依附五大财团的地方官僚资本的代表。至于那些克扣军饷和利用军费以起家的高级军阀的资本，则多半采用“民间企业”的姿态；或者化整为零地投到有关的公司行号去。

地方官僚资本，可以分为行政机关与党部团部二系统。行政机关是指各省政府主席所经营的企业，这些“行政首长”多半是国民党的武装同志；而各省党部所经营的企业则间接是属于CC系的。

各省的地方官僚资本可以归纳为三种形式：第一是控制省营企业；第二是地方官僚资本彼此合伙；第三是利用民间资本的招牌。

各省省主席之挫制省营企业，几乎是变成惯例的了；省主席之视省营企业为自己的私产，亦几乎变成“天经地义”无可毁议的了。山西的土皇帝阎锡山在抗战以前所经营的那个西北实业公司，可以说是阎家的；现在统治着广东的罗卓英，对于那个广东实业公司，还不是把它作为“罗氏公司”的荷包？抗战时期，吴鼎昌在贵州设立贵州企业公司，独占了全黔的经济。在台湾屠杀民众的陈仪，对于他手下的贸易局、粮食局、台糖、航运公司以至全台百分之七十以上的耕地，还不是尽其刮削的能事？其次，地方官僚资本与地方官僚资本之间，一样是“官官相卫”的。民国三十年，马鸿逵与傅作义合资在永宁县创办绥宁动力酒精厂；当薛岳在做湖南省主席的时候，他所发起的湖南实业公司，招来了孔祥熙氏的不少资金；陈仪的台湾糖公司亦包含了不少的“豪门资本”。在前面，我们看见五大财团彼此间在资本上的结合，我们亦尝看见五大财团与其旁支的官僚资本的结合，在这里，我们则可看见五大财团——特别是政学系，与地方官僚资本的广泛的结合了。中国官僚资本好像一个网，这个网把中国各个部门都概括在其中了。此外，地方官僚资本还致力于利用“民间资本”；或者在下野之后以“民间资本”的姿态在操纵某一地方的金融与工商业。例如那个统治安徽的李品仙，通过他的兄弟李品和，拉拢蚌埠绅商，集资组织安徽建设公司，垄断土产；又如广东的某将军，在下野之后，仍利用其资力，投资于工商金融各业。

党部与团部的经济活动，自三十五年国民党二中全会以后，就猛烈地在进行。因为国民党为准备表演“还政于民”的把戏，为准备“党费不由国库开支”的骗局，故在这个时候，就致力于“事前预支”，利用种种名义从国库取得巨资作为党部的基金；各地党部亦在这个时候，叫出“经济建党”的口号来了！福建、江苏和浙江的省党部，在这方面，都各在表现其特长。从土产买卖、印刷出版、银号运输一直到旅馆饭馆，都应有尽有的在扩展着。甚至在香港的“官方（国民党的）宣传机构亦请中央拨款一万万元，以之经营商业，拟以经营商业的利润，作为该宣传机构的资金”（见《经济通讯》第十九期）。各省党部的官僚资本，在本质上，原是CC系在各省的支店，但因各党部的资本有一小部分是属于当地的，故不能忽视它的地方性。

三青团的经济活动以“社会服务事业”为其特色。各地的青年服务社就是它们的代表，但它们还用不少资本，采用掩蔽的形态去投资于工商业，这是不可忽视的。

第四章　官僚资本的活动方式

一　官僚资本的活动范围

英国的经济学家 Arthur Clegg 在分析美国经济的时候，称那二百五十家控制整个美国的公司为二百五十只蜘蛛。这些蜘蛛织造了严密的网子，吞没了无数的蝇虫；吞没了无数的小蜘蛛。在中国，数十年来，网罗了整个国家的财政经济的，乃是官僚资本。官僚资本就是中国社会经济中的蜘蛛。在这里，最大最毒的乃是国民党的五大财团。这亦同美国一样，摩根、洛克斐勒、杜滂和麦伦四系，是二百五十只蜘蛛的头子；国民党的五大财团就是中国官僚资本的头子。

用蜘蛛来比喻官僚资本是很确切的。蜘蛛的网网罗了一切；官僚资本的活动范围亦包括了一切。从财政金融，一直延伸到穷乡僻壤的农田和高利贷，都是官僚资本的活动场所或对象，不过，官僚资本亦是经历着发生发展和灭亡的过程的。初期的官僚资本，当然没有囊括各部门的规模，要做到这一点，只有国民党的五大财团。因此，我们在分析官僚资本的活动范围时，不能不以五大财团为对象。

五大财团的经济活动，可以归纳为：财政金融、贸易、工业矿山和农村经济四项。在第二章中，我们在叙述五大财团的阵容时，尝经约略地提及了，但那时所着重的只是每一集团在某一部门的据点，至于他们在每一个部门的做法，用什么手段去吮吸人民的血汗，则略而不谈，现在，我们所要论及的，就是这一方面，就是要来看看五大财团在财政、金融、贸易工矿和农村各方面，用什么方式去掠夺全国的财富了！

二　财政金融的劫持

在财政金融方面，五大财团的掠夺方法是：发行纸币、募内债、借外债、利用金融统制、利用黄金政策及利用国家银行。

（一）民国以来，发行纸币成为军阀官僚发财的主要办法。日人长野朗在其《中国资本主义发达史》中亦尝指出：“滥发不兑现纸币，用以购物，此为简而易举之赚钱法；又滥造轻量恶质之铜币，以充军费。”长野朗的这种说法，主要是指地方性的军阀官僚而言的，如阎锡山在山西的晋票；张作霖在东北的奉票等是，这种办法，如果与国民党五大财团比较起来，那是寒酸到不足道的。过去地方军阀之发行不兑现纸币，并没有涉及人民的白银；而国民党的五大财团，则不但以其无准备不兑现的纸钱去强购全国人民的财产，而且更进一步还要没收全国人民所储存的白银。国民党使用法币这个办法，一面吞没了人民的物资；一面又吞没了人民的存银。这真是一举两得了！其次，地方军阀的发行劣质铜币，虽然是量轻质恶，但到底还是“硬币”，还是要花一点本钱的，到了国民党却索性连这一点亦被鄙视了！它们一面把铜板收回来当作红铜卖给外国；一面又在恶性通货膨胀之下，不但取消了五分一角的辅币，而且取消了一元十元甚至百元的“正币”，这真是彻底到没以复加了！

民国二十四年十一月初国民党政府宣布法币制度，到抗战爆发前夕，法币的发行总额为十四亿元。抗战结束的时候，法币的发行额增加到一万六千五百六十亿元。三十四年年底为二万一千一百二十五亿元，三十五年年底为八万二千余亿元；三十六年六月底，可能增加至三十万亿元，成为抗战前夕的发行额的二万多倍。

法币制度是国民党掠夺全国人民财富和血汗的重要工具；同时亦是它们控制全国人民财富的重要工具。这种控制是通过通货膨胀去进行的。因为法币膨胀了一倍，则人民手中的法币币值，就要跌落了一半。不要说工人农民，就是“腰缠万贯”的“百万富翁”亦是每一天，每一刻在吃国民党五大财团的通货膨胀的亏的啊！以江南的人民为例，战前有一万元法币的人，就算得很好的了，汪精卫把中储券与法币定为一与二之比，一万元变成五千元了，胜利之后，蒋介石回到江南，又规定法币与中储券为一与二百之比，五千元又变成二十五元。此时二十五元的法币购买力却不及战前的二角五分钱，只好买二个大饼吃吃！反过来，五大财团却正因此大发其财。法币制度使它们占有人民的白银，通货膨胀使它们更便当地从人民掠取财富，因为它们不怕法币跌价，印刷机在它们手里，法币纵然跌价跌到一半，但它们多印出一倍的纸钱来，就可取得以前同量的物质。故在法币这个问题中，我们可以看出国民党五大财团与全国人民的深刻的矛盾来！

（二）发行内债是统治者掠夺人民血汗财产的另一种办法。发行内债需要有担保，而这些担保大都是关税、盐税或统税等等，这些捐税那一项不是从人民身上抉出来？这就是说，公债的还本是由人民的血汗去充当，公债的付息亦是要用人民的血汗去充当的。人民不但要负责还本付息，有时甚且被摊派附款而拿不到债票。人民一面出钱买公债，一面又要出钱还本付息，但他们是没法拿到“本”更没法拿到“息”的。公债的利息都被五大财团及其有关的银行家取去了。在战前，国民党所发行的公债是由银行承购的，承购银行的折扣，普通是五六折，同时，公债利息定为六厘至八厘不等，所以银行购买公债实际所得的利益，约在年利三四分之间，但还本付息，却按照债券票面十足支付，计战前从民国十六年至二十五年，国民党政府共发行公债四十五种，共值三十九万万元又英金一百五十万镑；战时发行内债共计十二种，共值法币六十八万三千万元，又关金一万万单位，英金二千万镑，美金二万万元。抗战结束以后，为进行更大的内战，又于三十六年三月发行三十六年“短期库券”美金三万万元，“美金公债”美金一万万元。如果把战前战时及战后三个时期合并起来，则国民党五大财团在其二十年的统治时间，一共发行了五十九种内债，共计法币一百零七万三千万元，美金六万万元，英金二千一百五十万镑和关金一万万单位。

抗战时期的公债，只有二十六年的救国公债及二十九年的建设金公债与军需公债是公开招募的，其余各项，都以“总预约券”方式，向银行作抵，即由财政部出一债券交与四行，作为担保，再由四行放款给政府，而收取七厘利息。在本质上这是变相的增发通货，所不同的，仅在国家银行多了一笔公债的票面收入；对于社会经济及国家财政则与单纯之增发钞票完全相同。公开招募的公债实质上成为摊派（如廿六年救国公债，各省是把它随田赋带征的）；而总预约券的方式，则是变相的增发通货。摊派是一种露骨的掠夺，增发通货何尝不是一种野蛮的掠夺？

二十年来国民党五大财团以公债的形式，从人民榨去一百二十七万三千万元的法币（连一万万美金算在内）六万万的美金和巨额的英镑，这一笔巨款被他们拿去打仗，拿出巩固其血腥的统治，而同时，他们不但在这里取得扣折和利息的好处，并且以操纵投机的办法去吞小户的“炒家”。看看下面三个例子吧！

（甲）二十五年间南京政府准备发行“统一公债”以掉换旧有各种公债债券，重行厘订利息，孔家当时就叫人散布烟幕，说是政府财政困难，掉换旧的目的，就是要停止公债付息。小户相信了，纷纷把公债抛出，市价惨跌，而孔家则暗中叫人倾中央银行的款项大事吸收，没有多久，行情回升了。孔家于一出一入之间，获利三千万元之巨，而许多投机公债的人，都为之倾家荡产，有些人竟陷于自杀了！

（乙）三十一年国民党政府发行了一亿元的美金公债，当时中美汇率是二十对一，当时掌握财政金融大权的孔祥熙很懂得美金公债的利益，所以一下子就买了一大半，并且派人至各处收购，连他答应分售给中央银行全体职员的几百万，亦食言吞下，引起该行在年关中发生了一度纠纷，结果，一些小职员被斥退了，美金公债还被老孔吃下去。

（丙）在日本投降之后，有人故意散布战前统一公债“优惠还本”的消息，说得活灵活现地，宋家当局对于这种谣风既不否认，亦不驳斥，最初统一公债丙种从百元票面涨到三百余元，直到三十五年四月间最高达八千四百元，超出票面八十余倍。到六月初，“优惠还本”的消息还很浓厚，自称和当局极有关联的投机者，以六千元抛出大量现货，最后宋子文发表了一个谈话，“按票面价值偿还战前公债”，于是公债一致急剧下跌，投机证券字号倒闭达十余家，大亚银行等亦倒闭了；有些钱庄则出盘与孔家的扬子建业公司。据银钱业估计：此次各银庄受公债影响，损失达一千五百亿元之巨！

这三个例子证明国民党五大财团是处处在排兵布阵吞食小鱼的！

（三）举借外债是官僚资本发财的另一种机缘。在北洋军阀时代，一些官僚政客是由于经理外债而起家的，第二章所述的交通系就是好例，但比起五大财团来，交通系就要变成一只小老鼠了！交通系这些政客所转的念头，主要是在于从经理借款中取得回扣，而从五大财团看来，回扣是不在眼里的。他们直接了当地叫人民负担巨额的外债而自己则以举借外债的关系，用各种“担保”去取得帝国主义的欢心，同时，又用其所借得的外债去购买军火以巩固其统治或者把一部分外汇存在外国作为自己的财产。

在抗战以前，国民党政府举借了五次外债，共美金六千四百一十一万二千八百二十六元，英金二百四十万三千二百镑。抗战期间，中英借款十二次，共一万一千八百五十万英镑；中美借款九次，共十二万四千七百八十万美金。从太平洋战争至抗战结束时间所使用的对华租借法案六万三千余万美金，还没有计算在内。抗战结束以后，美国在租借法案所拨给的中国政府的物资，约有美金十万万元左右，除此之外：（一）由进出口银行放款三千万元，“用以购买棉花”，另一笔放款亦为三千万元，“用以协助恢复交通”；（二）剩余物资借款八万二千五百万美元；（三）三十六年三月初通过联总的棉花借款二千五百万元；（四）同年三月底，在杜鲁门大放厥辞号召反共反民主之后，美蒋之间，又进行九亿六千五百万美元的大借款——其中“经济贷款”五亿美元，航业贷款四亿美元，电讯贷款二千五百万美元，铁路及公路贷款四千万美元。

在这些外债，美帝国主义占了主要的地位，如果从民国二十年的美麦借款算起，则美国所借给中国的外债，纵然把尚未签字的九亿六千五百万美元的一笔暂时不算，亦达到三十八亿五千六百九十一万二千八百二十五美元之巨！平均每一个中国人，无论男女老幼，都要负担八元五角美金的债务，用一对一万二千的对比来算，则每一个中国人起码要负担法币十万二千元的美债了！如果用黑市价三万对一来计算，则每一个中国人就要负担法币二十六万元的美债了！

五大财团用这种办法使中国人民变成美国独占资本的债务者，而自己则从中取利。他们的在美存款有一部分是用这种办法获得的；至于用购买军火的那一部分亦是五大财团财富的一种来源。因为购买军火的回扣或其他种种利益，主要地或大部地是由这五个买办集团所垄断，是不会有什么疑问的。

（四）利用统制政策。在这里，我们将注重外汇统制一项，依照外汇统制的规定，人民是不能随便用法币去买得外汇的，可是，五大财团却利用其特殊地位与权力，在外汇统制中，大发其财。二十八年八月六日上海的《大美周刊》尝经登载过这么一条消息："上周平准会停止援助法币前，渝某重要部长夫人电某外汇经纪人，嘱购入英金四万镑之巨额外汇。"这一位部长夫人，不用说就是孔祥熙的太太宋霭龄了。三十五年一月下旬改变外汇率的前夕，陈立夫以中国农村电影教育公司董事长的资格，用二十（法币）对一（美金）的比率，预先买进美金外汇一百一十九万元，没有几天（三月一日起），美汇的官价是二千零二元，而黑市的汇价则为三千余元了。陈立夫这一笔进账，用官价来算，一下子就赢了二十三亿八千万元；若用当时的黑市来算，则一下子就赢了三十五亿七千万元了。无怪马寅初先生大声疾呼，反对特权者"以二十元法币换一元美金，而老百姓是要四五千多元才可换到一元"，并且斥责"这样的赚钱并不是本领，这些事情都是猪狗畜生做的"了！这二个例子，分明不能说尽五大财团特权者之利用外汇统制；它们只是“例子”吧了！

炙脍人口的存美十万万美金，极大部分就是用这种办法形成的，在中央银行做了好久的外汇处处长郭锦坤（老财神梁士诒的嘉婿）之所以备受那一位最高当局的垂青，其最主要的一点，就是这一位郭处长，在外汇业务上做了很多的好事！

（五）利用黄金政策。有一位作家这样写着：“在黄金政策的幌子之下，翻云覆雨，作浪兴波，又不知制造了几多暴富，这种暴富，唯有制造消息的权贵，才有十足把握。试想开始抗战至于今日，一会儿宣布黄金国有，一会儿解除国有恢复自由买卖；一会儿实行平衡买卖，一会儿又实行官价平卖。就是胜利以来，自由价格的平衡买卖变成固定官价的平衡买卖，再又取消固定官价，停止平衡买卖；恢复自由价格的平衡买卖；每次变动前后，市场总是谣言蜂起，作浪兴波，最后，谣言十九成为事实，则其内幕如何，也就可想而知。”（三十五年五月十一日上海《周报》三十六期）国家金融机关握在他们手里，决定金价由他们；制造谣言是他们，大量抛出是他们，大量购进又是他们。三十四年三月在重庆哄动一时的黄金案，虽然哄动一时，但后来却弄到烟消云散，其理由就是在此。就以出售黄金的办法而言，“战时抛售黄金先以四百两为出售单位，三十三年十月始改以十两为单位，都是偏于大户而未顾及小户的办法。在上海配售以来，黄金亦大都为既得利益集团及投机者所吸去，而在国共谈判停顿后，官僚资本和权贵们更在疯狂的追逐黄金，因此，政府所卖出的黄金，有十分之八九，全落在这些富户手中”（《经济周刊》第四卷第九期），这里之所谓“富户”，“权贵”，“官僚资本”，最大的要角，当然是五大财团了。

黄金政策不但使五大财团手中所握有的法币，变成黄金，而且使他们能够在黄金狂潮中吞食小户。三十六年二月初，上海黄金每两是四十八万，但到是月十二日却涨到九十七万元，黄金之涨，法币之跌，当然有其必然的原因（如国民党的财政破产等等），但五大财团官僚资本之混水摸鱼，却是主要因素之一。他们把黄金买贵了，又在宣布黄金不能自由买卖之前，相机抛出。为了压榨小户，虽然在市面上黄金买卖陷于停顿，但没有多久，所谓“美金公债”又上演了。黄金实价从四十八万涨到六十万，这难道不是为他们自己想办法？这难道不是在杀死了小户之后的“应有之举”？

（六）在银行方面，除了操纵把持四行两局以外，五大财团还“致力”于利用国家银行的资本去抢夺私人银行，前面所述的四明银行，中国通商银行，中国实业银行及新华信托银行，就是例证，国货银行则是孔宋利用国家资本去创立的。中国工矿银行和上海正大银行，则是CC利用国家资本去投资的。

五大财团和用国家资本打进商办银行，是做法的第一步。经过这一步，他们就可一面占住官股的董事，一面占住商股的董事去纵操这一个银行了。到了认为必要的时候，他们又可以让归民营的名义，把官股变成他们的商股，最近那个官商合办的小四行（即四明、中国通商、中国实业及中国国货四个银行）之酿酝改为民营（见三十六年三月三十一日香港《星岛日报》），还不是这么一回事？

五大财团不但用种种办法去吸食小银行或大银行的小股东，而且更以种种办法去吞食广大的存户，“广东有一家银行被某大官僚所买，吸收广东人的存款很多很多。日本人到了广东，某大官僚即令这家广东银行移至后方，于是存户的存款都不能提出。这个大官僚利用存款做生意买卖外汇，他且兼任外汇平准基金的委员，现在我们得到胜利，这家不知发了多少财的广东银行迁回广东，对于存款人只以法币支付，这是变相的劫夺，我以为这家广东银行的存款，至少以一万倍偿还”（三十六年一月十一日上海《文汇报》马寅初讲《今日我国经济的总检讨》）。五大财团就是以这种变相的劫夺去大发其财的啊！

三　商业上的掠夺

五大财团的商业机构，塞住了中国的每一个通商口岸。这一点，我们已在前一章述及了。现在，我们应该进一步去看看他们的生意到底怎样做法！

贸易统制是五大财团扼死民营企业的武器，同时亦是他们发财的工具。因为他们所控制及其私有的贸易公司可以享受种种一般商行所不能享受的权利。三十六年三月十三日合众社的上海电讯，曾经有这么一段报导：

> 中美商人对于宋子良所主持之孚中公司，宋子安之中国建设银公司，及孔令侃之扬子建设公司，皆可利用“特权”经营商业等情，尤多指摘之辞。例如孚中公司有代表一人，利用中国外交官之护照，现正在美国从事商业上之旅行，而一辈有经验之中国商界领袖，欲赴美国，则常不能获得准许。

孚中公司这一位利用中国外交官之护照的代表，不是别人，就是T.V. 宋的令弟宋子良。同月十六日的上海《文汇报》对这个问题回答道：

> 孚中公司在美之代表为宋子良氏，因渠之“努力”及优越之条件，孚中曾获得去年度美国对华钢铁输出限额的百分之九十；今年度钢铁限额极难获得，宋氏在美正为该公司续作努力云。

利用外交官护照，只是一种表现而已，官僚资本利用其权位违反他们自己所颁布的进口法令。“据悉：一统公司（Universal Trading Corporation），中央信托局及中国供应局，将大量‘奢侈品’搬运进口，如高价汽车、无线电机、冰箱及其他中国当局所严厉禁止进口之货物，而私人商行数千件进口许可证及结汇之请求书，拟以急需之合法进口货，如重工业器材等物，则当局置之不理”（三十六年三月十三日合众社上海电讯）。按一统公司为陈光甫所办，总公司在纽约，股本以上海银行投资最多，后宋子文亦参预其事。这些亦官亦商的机构之这种干法，自然可以赚得一般商人所不能赚得的利润了。

一面设立种种限制；一面又破坏这些限制，这是五大财团官僚资本在对外贸易中利用特权的一种做法，不仅如此，他们还可随时为了自己的利益而颁布一些“办法”。三十五年春，“某大员向美国购进大批卡车，此批车辆进口之后，报上即见政府禁止三吨半道奇卡车等几种卡车进口的消息，美商方面，极为不快，即请美国领事向中国政府交涉。在外国压力之下，才决定禁令以三个月为限。此种决定，实在不通，若谓中国的道路不适合此种卡车行驶，岂三个月内即可改善？实则某大员买进此批车辆，急于出售之故”（三十五年九月廿八日上海《文汇报》）。这一位大员，乃是鼎鼎大名的宋子文氏。

正如陈伯达先生所说，“专卖制度是四大家族‘官’式商业独占的一种发展”。在抗战的时候资源委员会、复兴公司、富华公司（后来归并于复兴）、中国茶叶公司及农本局的福生庄独占了钨、锑、锡、汞、生丝、桐油、猪鬃、茶叶及纱布的买卖。三十年四月国民党八中全会决议创设专卖制度；三十一年，糖、盐、卷烟与火柴的专卖便先后实施了，在实行专卖之后，专卖品不但领导了物价的上涨，而且广泛地制造了黑市。“公卖店实为黑市主要产地”，这是大家所知道的。五大财团的商业独占既拥有集中的商品，只有他们才能够操纵物价，只有他们才能在黑市中活跃，“他们独占了公开市场的价格，又独占了黑市场的价格，并转而使黑市的价格变成了公开市场的价格”。五大财团独占的商业利润亦就上涨不绝了。就以没有归入黑市的专卖利益而言，极大部分是被五大财团的小家库取去的。桂林《大公报》三十三年五月十九日的社论说：“今日专卖机关与税务机关之收入，归国库者仅十分之一二，饱入私囊者约十分之八九。”陈伯达先生说得好：“在归入四大家族的大家库之前，事实上已不知有多少归入四大家族的小家库，而在归入四大家族的大家库之后，当然又在各种形式之下，转入四大家族的小家库。”

贸易管制和专卖制度，是五大财团利用“合法”以进行其“非法”活动的例证。这样的“非法”，还是比较客气的。如果我们进一步去看看下面一些事件，那就可以知道他们的非法活动，竟成为无法无天的了。

（一）在抗战困难的情况下，囤积居奇是举国人民所痛心疾首的，然而五大财团却疯狂地在大干人民所痛心疾首的勾当。孔祥熙的庆记纱号，多少年，一直在操纵大后方的纱布市场。这个纱号的资力是与国营的福生庄不相上下的。在孔家的生意中，纱布还算是正当的。其实，只要有钱可赚，他们是什么都干的，二小姐管理下的那一个“四联总处”，连白糖和鸦片的买卖，亦都要做一下。CC的农民银行除了把资金交给土豪劣绅去剥削农民以外，还致力于囤积油、盐、粮食和布匹。弄到三十四年七月间参政会上有人提出弹劾农行的提案，说“农民银行违反本身事业，贷放大宗商业款项，影响市面”；说农民银行运盐售油屯粮……“有营私舞弊嫌疑”。这实在说得太客气了。囤积居奇是万目共睹的，岂止嫌疑？

五大财团不但在抗战时期从事囤积居奇，而且亦在抗战结束之后从事囤积居奇。三十五年四月间，南京政府发出粮贷十亿元，单单孔家的长江公司一家就贷了六千万元。“粮贷放出之后，米价由三万元，跳到六万三千。”这是长江和三泰米店提高价钱所致。当时米市中，糙米卖主只要五万一千一担，而该二公司却硬要以五万五千购进，于是米价便暴涨起来，而该二公司的米，一粒都不肯卖出。因为CC没有分得利益，所以外扬了一番家丑！

（二）四大家族利用其政治特权，以经济检察队去镇压普通商民，而自己则在经检队保护之下，利用国家的运输工具进行其大规模的走私。在太平洋战争以前，滇缅公路尚通行时，孔二小姐与中央信托局的运输科科长林世良勾结，利用中央信托局的汽车封条，大干其走私生意。利息当然是无可比拟的，后来事机不密，只得杀掉林世良以塞责！

为了自己的利益，五大财团可以化敌为友，走私就是一个很好的例证。他们一面替敌人运销商品到内地来；另一方面把所集中的人民物品输送到敌人那边去。这种干法，普通人是没法办到的。只有当权的五大财团才具备这种条件，他们有电台可以直接向香港上海定货；有银行和商号代为付款，有独占的交通工具为之运输，更有特殊势力为之保护。起初他们干这些勾当时，还是偷偷摸摸，到后来就索性公开起来了。“一切资敌物品如粮食、棉花、木材、矿砂等等军需品，亦都装在轮只卡车上，插上皇皇大旗，千里输送，如入无人之境。”

（三）五大财团不但制造黑市，而且制造黑黑市以至黑黑黑市。救济物品的转移就是例证。“联总把面粉卖给行总，行总又以国币九千元一担卖给了‘老百姓’（按这个老百姓应加上括弧），或者算是‘老百姓’的某些人。不知怎么一来，面粉又运到天津，那里价钱提高了法币二万元，政府毫不干涉这件事。他们认为要不然的话，政府没有船和火车，美国飞机又没有汽油及驾驶员，天津人还根本吃不到这里面粉哩。”（一九四六年四月二十一日《生活杂志》“上海性格”）除了五大财团，谁能够充当这种黑黑黑市的主宰？除了五大财团有关的公司行号，谁能够做这种一本万利的黑市生意？

五大财团的商业活动，完全是破坏市场，破坏价值法则的。无法无天的干法，当然可以得到无法无天的超额利润！

四　工业上的掠夺

在产业方面，五大财团的拿手好戏是：

第一、挟其雄厚的资金与炙手可热的政治势力去侵吞民间企业。当然，这里所谓民间企业，是比较有基础有希望的。宋家对于南洋兄弟烟草公司，就是例证。按南洋兄弟烟草公司原为广东侨商简照南昆仲所办，这一个公司，虽然经历过无数次的困难，但它的基础和在消费者中的信用，仍是很坚强的。就是看中了这一点，所以宋家就在民国廿六年把它抓住了。当时该公司的股票每股定为十五元，老宋在买了广东银行之后，一下子又买了“南洋”的一半股份（约二十万股），每股是以五元计算的。这种买法，便宜了三分之二。不但如此，宋家除了买得简家一半之股份以外，还强迫简家将其余股份全数连同股权交出，一面规定宋简二家的股份全部交给宋家的广东银行代为保管，一面又规定简家的股权由宋家自由支配处置及运用，非得到宋家同意，简家不得移转或出卖。广东银行要保管多久呢？又没有规定。这就是说，简家的股权无期限的要交给宋家，而且只有卖给宋家，才能卖出。简家只有死在宋家的手里，才能死去，否则，它就要使你“求生不得，求死无门”！这种干法，完全是抄袭帝国主义对付弱小民族的办法。精密是到透顶了！

第二、五大财团是以租税和法币的征发方法，去进行其资本的原始积累的。例如川康兴业公司和湖南实业公司的资本，绝大部分是在人民（主要是农民）间公开强制摊派或征派股本而得来的。人民在五大财团的威压之下，只好“贡献”出他们的稀薄的血液。血液被吸去了，他们绝对不会拿得到股票，甚或看得到股票的！国民党的官僚资本却就在这里又大发其横财！

第三、五大财团掌握了国家银行，利用国家银行的巨额资金去侵占民间企业或建立自己一家或一系的工业据点。前一种方式如宋家通过中国银行去攫得郑州豫丰纱厂、济南仁丰纱厂、昆明云南纺织厂、衡中纺织公司及成安纺织公司；后一种方式如CC系利用中国农民银行的资金去开设农具公司及农业机械公司等等！用国家的资本去建立自己一家或一系的企业，在规模上，自然是很庞大的了！

第四、五大财团利用工业管制去打击民营工厂，去助长官僚资本自身的发展。以抗战时期大后方的纺织业为例，在管制之下，当局只供给棉花，其他机器、物料、员工薪膳则由各厂自筹，但物价飞涨而工缴不断落后。三十四年一、二月间，每件纱之工缴为三万四千元，每匹布之工缴为六百至九百元，三月间每匹最高工缴增至三千元，但实际成本每匹为三千四百三十七元。生产者每匹要亏四百三十七元之多。反之，管制局的所得，却不只一本一利。如以这一年春间的情形而论，每件纱织成四六点五匹布总成本为十六万五千二百六十五元，但管制局的售价为三十四万元，差额为十六万九千余元。二月以后，售价涨至八十万元，是则管制局每四十六匹半布之利得，可达至六十余万元。计三十二至三十三两年，管制局所获总利益约达一百八十余万万元。这都是从压低棉价压低纱布的工缴而来的。在这里，承织布匹者，大都为各地手工工场。这些中小规模的手工织布厂，如与当局没有特殊关系，没有送礼送红股，就休想登记成功！登记成功之后，因为验货员苛扰，如没有向他们活动，没有经常周旋贿赂，就时时有受到扣缴扣纱的危险。如遭扣缴，就要亏赔血本。因此，土布业便不断关门了！以重庆为例！一九四二年有织户一一五六家，布机六九六三台，到一九四五年年底只存织户四五六家，布机二四四二台，几乎减少三分之二。这种办法，民间纺织厂就没法不衰落了，但五大财团的官库却因此而肥胖起来。五大财团的私库为孔氏的庆记纱号，亦因为极有利的条件而大赚其钱了！抗战结束以后，管制并没有取消。以动力而言，经济部门的燃料委员会控制了燃料的配给权，但民营工业不仅不能获得和官营工业平价的供应，并且根本没有获得供应的保证，而必须仰给于黑市。黑市价格比较国营工营获得的配价平均要高出一倍到十倍——燃料委员会对国营工业的配售价，每吨最低三万元，最高十八万元，而黑市价格则在三十万元左右（三十五年六月间上海市价）。这么一来，民营工业自然没法与官僚资本的国营工业竞争了！

第五、抗战时期，大后方曾举行专卖制度，在这一制度里，五大财团亦极尽其巧取舞弊的能事。以卷烟为例，这是采用民制官收的办法的。中小烟厂必须把制成品交给专卖局，但孔家的华福公司与宋家的南洋兄弟烟草公司，却有大部分的产品逍遥法外，以黑市价格卖出！

第六、四大家族的独占网，在抗战结束之后，因劫收而迅速地扩大了！他们在“商民无力经营”和“国营争取世界市场”的两个口号之下，穿了“国营”的伪装，囊括了生产事业的各部门。中纺垄断了纺织染等，中蚕垄断了江浙的蚕丝事业，中油垄断了全国的石油事业，中植垄断了全国的植物制油事业，台糖垄断了台湾的制糖事业。这些企业，表面上说是国营，而在实际上却分别握在五大财团手里，这一点，我们已经在前面提及了！

第七、五大财团的工业活动，主要并不是在发展生产，而是在以工业为招牌去进行其投机垄断的。因为有了工厂的招牌，就可“名正言顺”的。从国家银行取得巨额的低利放款。历年的所谓工贷，就是这么一回事！五大财团一方面既借企业之名而吞并民族工业为己有，同时又把商业投机作为发财的保证。孔祥熙当董事长的那个中央制药厂的营业部就囤积了大量的药品，用为商业投机的。有名的“中纺”，在实际上亦是一个大投机机构。三十五年夏间，当纱价卖一百六十万元时，中纺不售纱，任民营厂商以少数产量在市上抬价，到了相当程度之后，中纺才出而平价，但已较一百六十万元高出很多了。其次，六十支纱是独占的，原定每周开三期，六月初六十支纱售二百九十五万时，有一周连一期亦不开，厂商急于需要而提价，于是中纺乃弄出一二件标卖，叫各厂商自由竞标，因而涨到三百五十三万元。这是一种巧妙而合法的操纵法，中纺不但从美国运入棉花，而且从墨西哥运入棉布，棉布是在市场上抛售的，棉花则自用之外，亦还可转卖！真是双手要钱！

五大财团并不真正在搞工业，不过是以办工业的名义去侵吞民间资本，去掠夺人民的血汗以完成其原始积累吧了。用了工业的名义去使用国家的资金，用了办工业的招牌去进行其投机操纵的勾当，这就是“挂羊头卖狗肉”；这就是“偷天换日”！五大财团官僚资本就是以偷天换日的干法，去取得它的生存的！

五　对于农民的剥削

官僚资本对于中国农民的剥削，充分地表现了它们的封建性：

第一、官僚资本个别多在农村，城市或交通要道与港口置有大地产。在鸦片战争以前，中国原来是一个封建国家；土地的占有乃是财产的主要形式。鸦片战争以后，情况没有什么改更，故对农民作封建剥削，仍是一个主要的形式。升官发财的结局，就是购买土地。看看过去几个大官僚的例子吧！李鸿章在芜湖以及河南信阳一带的田地，是没法测量的；湖南聂云台拥有土地十余万亩，衡阳的赵恒惕，新宁的刘坤一等，其所占的土地都是在一万亩以上；窃国大盗袁世凯单单在彰德就占了全县土地的三分之一。地主与官僚是不能分开的。一九三〇年春江苏民政厅曾调查该省五一四个大地主，其中三七四个是有职业的。在这三七四个有职业的地主中，百分之四四点三九为地位不同的军政官吏。以中国一般情形而言，地主官吏以东北各省居多，但这并不是绝对的。现在正在当权的五大财团，除了孔家原是山西的土财主，在山西握有土地之外，其他的几系，虽然属于东南，但他们在某些农村和城市，特别是交通要道，仍置有大的地产。除此之外，统治集团因为握有政权之故，能够以赋税的形式，直接取自农民或间接经过地主去剥削农民，故“全国各地的地主都好比是二房东或三房东，而四大家族则好比是全国性的大房东，蒋家朝廷治下的一切农民，包括佃农以至自耕农，在实际上，都是四大家族的佃户”（陈伯达）。田赋征实是国民党官僚资本对全国农民的一种最残酷的收租形式。“田赋征实征借的负担，名义上虽为田地所有人，实际上则直接间接，一部分或全部分，都转嫁到农民身上。大地主把它的负担转嫁到中小地主和农民，而中小地主又把它的一部分负担转嫁给它的佃农。”地主们以政府增加田赋为理由，竭力提高田租，原来收钱的改收实物，正租租额之外，还加增押租和附租的租额。所谓“征购”，农民是拿不到钱的，钱都被各级官吏和保甲长克扣去了；征借呢，那是明明白白的没收。“四大家族对于这种粮食的征收和没收，一部分变成黑市的投机，一部分变成蒋家军队的军粮，一部分由四大家族的层层爪牙所吞饱”（陈伯达），这种明目张胆的超经济的劫掠，只有中世纪的领主才可比拟！

第二是前资本主义的高利贷的剥削。中国的地主，大都是收租者、商人、高利贷者及行政官吏的四位一体的人物。陈翰笙先生在其名著《现代中国的土地问题》中指出：“许多的地主兼高利贷者，可以变为地主兼商人；许多的地主兼商人，又可变为地主商人兼政客，同时许多商人政客又可变为地主。”由此可见：地主对农民之封建剥削是离不开高利贷的。带着强烈的封建性的官僚资本，亦进行了高利贷的剥削。孔祥熙的老家是山西的志诚信票号，票号是海禁打开以前的金融组织，这种组织的主要任务，就是经营高利贷。陈果夫在参加上海交易所以前，在湖州曾做过将近十年当铺掌柜。这些人的出身，说明他们对于高利贷剥削，是老练到无可比拟的。在五大财团统治下的中国，CC所把持操纵的中国农民银行，自民国三十一年以后，便独占了农贷业务，而所谓农贷，在本质上，乃是一种大规模的全国性的高利贷。农贷多在春荒贷出，在春荒期间，物价昂贵，农民虽能借得款项，但所能购得的物品比较的少；到了秋收还款的时候，农民出售农产品却必定跌价，因此，农贷放发与收回的时期，就决定了它的高利贷性质。“这种农村放款，受到好处的决不是农村中最贫苦最需要资金的农民，而大半是有相当田产或较富有的农家，甚至有一部分资金变成农村高利贷者的本钱。”在五大财团中，对农民剥削得最凶的是CC，CC不但用农民银行的资金专发放其高利贷性的农贷，而且又通过中国蚕丝公司去压榨蚕农。三十五年七月一日上海《文汇报》登载嘉兴一个读者的来信谓是年中蚕承办春茧，贷款二百亿元，而该公司“规定春鲜茧价格，每担仅国币十万元，实际收价，且有低于七万元者，但蚕农成本，以种价每张要一万元以上，再加桑叶人工，每担至少要十五万元。农民辛苦一月，非但工资无着，连血本亦要蚀半数以上。在农村经济枯涩之今日，尚经得起如是严重之榨取乎”？

第三、国民党官僚资本不但用地租，田赋和高利贷的方式去剥削农民，而且明目张胆地，进行大规模的军事性的掠夺和兼并。三十六年三月廿一日陕北新华社有一篇综合报导，就概括地总括了国民党当局的这种暴行。

各地报纸披露，××× 政府自去冬以来即在全国范围内对人民土地实行大规模军事性掠夺兼并，并企图在所谓美式“机械化”步骤下，达到蒋记官僚资本与美国金融势力结合一起彻底控制中国农业之目的。

据悉蒋政府掠夺人民土地之具体办法有二：一为利用“屯垦”“合营”名义，公开侵夺和兼并农民土地；一为“明令”“接收”日寇在其占领期间残酷掠夺和强迫集中之大量中国农民土地。国民党国防部联勤总部已于今年一月间经 ××× 亲自“核批”，决定在湖南四川福建甘肃陕西贵州等省设置“屯垦总队”，驱使残废军人及退伍军人实行强迫性“屯垦”，一般农民土地横遭兼并，农民皆叫苦连天。云南亦奉国民党行政院命令，实行同样办法成立“垦殖总局”。在滇缅边芒市遮放路江等九地区，设置所谓“集体农场”。据传滇缅边地区之“垦殖”与美蒋在中国西南之军事交通计划亦有关系。至于敌伪掠夺土地之“接收”，以东北与台湾规模最大。东北日人所谓“开拓田”已有数百万亩为国民党国防部特设之“东北屯垦局”所接收，该局系完全继承日寇东北“开拓总局”者。该局局长郜子举曾宣称：彼等在东北将继续实施日人之“开拓”政策。台湾据国民党地政署副署长汤惠荪，一月间在台“视察”结果，认为全省土地约有四分之一算作敌伪遗留之“公地”，准备设立所谓“合作农场”，从事“机械化”之“耕作”。汤氏并公开赞扬日本在台湾农业方面“过去五十年之经营甚为良好”。在东北“开拓地”与台湾“公地”为过去日寇在该两地榨取中国农民之最野蛮手段，为其殖民地政策之最露骨表现，今此种政策又为国民党政府全部继续用于控制中国农业，榨取农民生产，此事已激起各地农民之普遍愤怒。此次台湾人民自治运动中所提废除蒋记“公营事业”口号，内容之一即系反对蒋政府对台湾土地之掠夺。同时美国正通过“联总”关系，积极展开对于中国农业之直接控制，现有中国农业之“屯垦”“合营”，实际上系完全在美国资本与美国技术控制下进行者，所谓中国农业之“机械化”实际“美国化”之谓。国民政府“行总”。与农林部合组而在美国资本控制下之农垦处机械装修厂，与以“联总”美国方面为主体会同国民党农林粮食交通经济四部成立之“黄（河）泛（滥）区复兴委员会”两机构，更直接主持中国农业之经营。“农械厂”已在各省市设立分厂，且已将“电引机”数百架运往河南开封江西吉安及湖北等地从事“开垦”，该厂技师大多为美人，该厂副主任柯白亦系“联总”派来者。“黄泛区复委会”已在皖苏豫三省设立分会，各县则设“工作队”。皖北方面已于阜阳太和颍上五河泗县等十三县设立庞大之“合作农场”，该场强迫“集中”之农田约为四百四十余亩，经营资本及工具完全由美方统筹。“农械处”与“复委会”名义上为改进中国农业技术及救济中国农村，但实际上系为借以实行去年“中美农业合作团”所拟定之“农业中国工业美国”计划。蒋管区农村之正常私营农业，正为美国金钱与美国机器所摧毁，广大农民正陷入更严重之失业和痛苦深渊。这就是美国在蒋管区农村协助蒋政府实行农业“机械化”之真象。

国民党五大财团的抢夺土地，不仅充分地呈现了他们的封建性，而且深刻地呈现了他们的买办性。“所谓中国农业的机械化，实际就是美国化”，这种提法是再痛切没有的了。

六　官僚资本活动的本质

在上面，我们已经从财政、金融、贸易、工业和农村各方面去看着国民党官僚资本的活动方法了。五大财团的活动，真是“五花八门”“应有尽有”的；现在让我们进而看一看这些活动的本质吧。

五大财团活动方式的第一个特点，是“以公为私”。这个特点，是从“朕即国家”发展出来的。中山先生提倡天下为公；但到了现在他的不肖子孙——那一位屠杀人民的刽子手——的手里，就变成“天下为私”了。因为这样，所以国家的四行两局变成他的库房；兵工署的兵工厂和资源委员会的重工业为了他的内战需要而在生产；一切贸易机关和交通机关都听命于他的手令。这做法的特质，用一个字来形容，就是“劫”！五大财团劫夺了整个中国，劫夺了全国农民工人的血汗，劫夺了工商企业家的利得！

第二、因为“天下为私”，因为“以行为家”，所以，五大财团就假痴假呆地干他那一套公私不分的勾当。举借外债，发行内债，农贷工贷，官商合办等等，就是在公私不分的做法之下，去发展他们的官僚资本的。“蒋家天下陈家党”，二十年来，二陈从国库中支出无数的款项去办他们的“陈家党”。这不是“公私不分”吗？孔宋二家之以行为家，连家中的草纸和狗吃的牛肉还要在行里开账，这不是“公私不分”吗？这种干法，用一个字来形容，就是“混”。

第三、在拿不出名义来的时候，五大财团只好“混”，如拿得出名义来，那就用不着“混”了。这就是“假公济私”。历年巨额的工贷，被他们拿去充当他们的公司行号的囤积居奇的资金了！巨额的农贷茶贷丝贷，被CC及其爪牙拿去作为放高利贷或咀吸农民的商业资本的本钱了！这种干法，用一个字来形容，就是“骗”。国民党五大财团压根儿就是大骗子。“骗”，是他们统治中国和攫得财富的主要办法之一！

第四、如果名义拿得不响，不能假公济私，那么，他们就来了一套“化公为私”了。像陈立夫在三十五年二月下旬改变外汇前夕，以中国农村电影教育公司董事长的资格，用法币二十对一（美金）的比率，预先买进美金外汇一百一十九万元，就是“化公为私”的一种标准做法。“化公为私”是在暗中进行的。它的“妙处”在这一个“化”字；它们无耻的地方，亦就在这一个“化”字。故这种干法，用一个字来形容，就是“偷”。“以公为私”是强盗的作风；“化公为私”是小偷的作风！

第五、以上所说，是从五大财团官僚资本对于国家资本的关系而言的。这是五大财团在其公库和私库间如何安排的把戏。现在我们还要看看他们对于民间资本——特别是中小商人与中小生产者——的做法的特点。在这一方面，五大财团官僚资本的拿手好戏是制造谣言，兴波作浪。制造谣言和兴波作浪的目的是在于投机操纵。这么一来，正常的市场，就被他们破坏了；支配正常市场的价值法则，就被他们破坏了。孔宋和CC在外汇市场，公债市场，粮食市场和一般商品市场上的活动，处处都可证明这一点。这种做法，如果用一个字来形容，那就是“捞”！一个美国记者曾经记录一个反共的美国律师对他所说的愤语如下：

政府不像政府，这是一群无耻的，惟利是图的官僚，只要有油水可捞，先捞了再说。他们失尽了民心。

第六、“捞”，还要花一点心思，还要耍一些花头，这是相当麻烦的。因为要从工商金融方面捞到油水，总不能不耍点花头，可是，他们对于农民工人和一般小市民，就不会这么客气了。对于老百姓，对于无势力无地位的小民，他们的干法是“铲地皮”“吸膏血”。看吧！一道“白银国有”的命令，就把全国人民的存银劫掠去了；一道征实征购的命令，就把战时大后方和抗战结束后的蒋管区农民的粮食都劫掠去了；到如今，一面在“接收”、“屯垦”和“垦殖”的名义之下，在东北，在台湾，甚至在川滇、闽、甘、陕等省大量圈地；一面则以经济紧急措施方案（三十六年二月）规定黄金只能卖给“政府”。五大财团对于人民，不但要白银，要粮食，要土地，要黄金，而且要他们的生命！拉壮丁，打内战，就是铁一般的证据。这种干法，用一个字来形容，那就是“洗”！他们刮光地皮；吸尽血液；抢尽一切财富和生命！不是“洗”，是什么呢？

国民党五大财团发财的秘密，就是“劫”、“混”、

“骗”、“偷”、“捞”“洗”六个字。他们就是在这六个字上下工夫的！这是一种无法无天的封建性的剥削。可是，国民党五大财团的活动的本质，还不止封建性而已，他们还有另一方面，这就是买办性。

以法币来说，它不但是一种封建性的掠夺，而且是帝国主义控制中国金融的一条绳子。在当初，法币钉住于英镑，成为英镑集团的一员；到后来，法币又钉住于美金，成为美金集团的一员了。“以外汇为本位，信用由外汇的价格决定。这是法币买办性的基本特点。”（陈伯达语）

以外债而言，这更是国民党五大财团把中国经济献给帝国主义的一条联锁。因为借外债是要担保的。帝国主义一面把钱借给中国的军阀官僚，而一面又从中国的军阀官僚取得若干保证。从袁世凯以来，中国的军阀官僚就这么在干着这一勾当，但干得最凶，借得最多的当然要推国民党五大财团了。为了要取得美帝国主义的欢心，国民党五大财团疯狂地在廉价拍卖中国的主权，从陆上到海上，从天上到地下，从军事到经济，从现在到将来，都应有尽有的奉送给美国。袁世凯和汪精卫所不敢拍卖的，所未尝拍卖的，国民党政府却一笔一笔的拍卖了！外债是中国人民的卖身符，而做这一买卖的乃是国民党五大财团。还有什么比这个更充满着买办性的呢？

从经营军火买卖而言，国民党五大财团是一个大买办。长期的大规模的内战，需要长期的大规模的军火接济，所以军火乃是蒋家朝廷的重要的（但绝大部分是秘密的）大宗国际贸易。蒋家朝廷用军火去屠杀人民，而又从军火贸易中取得回佣或其他种种利益，这是一举两得的！

以黄金政策而言，这亦是国民党五大财团把中国金融变成美国（黄金王国）的尾闾的一种办法。要抛黄金就得有黄金，黄金从何处得来呢？那是用美国借款向美国购得的；就是后来可从墨西哥购金，他亦没有停止其对美国的依附，因为用政府的名义向美购金是不见得比向墨购金为贵的。

以独占国际贸易而言，国民党五大财团是中国的特级大买办。他们利用权力，打击民间入口公司而自己则无法无天的把美国货摇进中国市场来！一切的事实，证明国民党五大财团是美国货的总买办！在商业利润上，他们是离不开美国，离不开美国货的！

以工业而言，在抗战以前，国民党五大财团与法西斯德国合作；在抗战时期，就逐渐与美帝国主义合作；抗战末期，工业建设的指挥权，亦交给美国了。所谓战时生产局（W.P.B.）就是证明。当时的纳尔逊就是经济领域中的赫尔利，抗战结束以后，特别是三十五年十一月中美商约订立以后，五大财团就把中国变成“美国的工业边界”了！这一点，汪精卫的确比不上五大财团，因为汪逆对于日本的贡献，是绝没法比拟五大财团对于美国的贡献的！

以农业而言，五大财团正以农业机械化的名义，去实现“美化中国农村”的计划。汪精卫没有完成“农业中国工业日本”的迷梦；而国民党五大财团正在疯狂地要实现“农业中国工业美国”的毒计！这是“青出于蓝”的又一例！

这一切，证明国民党五大财团的活动，不但充满了封建性，而且充满了买办性！

除了封建性与买办性之外，五大财团官僚资本还有第三个特质，这就是军事政治力量的支持。陈伯达先生说得好：

> 以蒋氏为首的四大家族，完全是直接由×××军事集团的刺刀和枪杆打出来的。就是说：它是有一双满是血腥的手的“抢得”阶级。没有×××武力，就没有四大家族。×××的武力到了那里，四大家族的独占金融势力也就到了那里，所以，这是封建的，而又是军事的金融资本，也即是现在大家所说的最集中的官僚资本。（《中国四大家族》第八页）

枪杆和政权乃是官僚资本的基础。没有枪杆和政权，则它们就不可能飞跃地完成其“原始积累”，亦就不可能飞跃地进行其资本的“积累”与“集中”。从这一点说来，现在的官僚资本是与鸦片战争的完全封建式的官僚资本截然有别的。“历史上官僚们借其政治权威向人民掠夺得资本后，他们并未意识到再以他们的政权去直接运用官僚资本，经济的条件只给他们一条路，即是投放到土地上去（三十五年十二月九日《文汇报》兆流：《从官僚资本看政局》）。纵然“小部分”还转向商业——例如典当、高利贷、盐铁业经营，以至钱庄，但是这并没碍于以次的论断：即“官僚资本为官僚获得后，便与官僚政治脱离而转入正常的，为封建社会视为正规的经济行程，去从事生产、交换、分配，并因而增殖”（同上），可是现代的官僚资本却不是如此，现代的军阀官僚除了利用枪杆政权，去获得资本以后，还要利用其枪杆和政权的力量去运用其资本。这就是说：“目下的官僚资本，须直接依仗于政权，才能取得最大的活动条件；他们唯有握得极大的政治权力，才能充分运用其所搜刮贪污得来的官僚资本；也只有凭借官僚资本所取得的条件，才能有力的保障并扩大其政治权力。”（兆流：《从官僚资本看政局》）由此可见，现代的官僚资本完全是超经济的活动，离开了枪杆和政权，就没法保证其优厚的“超额利润”，就没法运用其从搜刮贪污得来的资金，更没法谈到窜入金融、产业、商业、运输及农田各部门了。国民党五大财团用着活生生的材料来证明这一点。

第五章　中国式的独占资本

一　这是中国式的独占资本

中国虽然是一个半殖民地半封建的国家，但根据上面的分析，它的大官僚资本就是这个国度的独占资本。国民党的五大财团，控制着中国的财政金融以及工商业！

所谓独占资本，就是独占的银行与独占的产业资本的结合。中国的大官僚资本所控制所掌握的银行是不是集中起来了呢？大官僚们的银行资本是不是已经发展到独占的形态呢？中国的大官僚资本所控制的实业是不是集中起来了呢？大官僚们的产业资本是不是已经发展到独占的形态呢？而且，大官僚们所控制所掌握的银行与产业是不是已经连结在一道了呢？

我们在叙述“中国官僚资本的发展”的时候，已经看见国民党五大财团的经济阵容了！为了弄清这个独占资本的问题，在某一限度之内，我们将重复地来观察它们的经济组织。

（一）在金融上国家资本的七个机关——中、中、交、农、中信、邮汇及合库是中国的独占组织。从民国廿四年十一月起，中、中、交、农四行便独占了发行钞票（法币）的特权。以二十五年的情况而论，四行的实收资本占全国银行的百分之四十二；资产总额占百分之五十九；存款占百分之五十九，发行的兑换券占百分之七十八；纯益占百分之四十四。这是刚刚施行法币制度的情形，到后来，其他一切银行都被取消了钞票的发行权，中中交农的权势就更扩大了。它们的权力不但独占了发行钞票（到民国三十三年发行权又由中央银行所专有），而且独占了国外汇兑、放发农贷，以至国际贸易。对于这一点，《大公报》曾经忍不住地说：

四行两局目前统制全国金融，而且有生杀予夺之权。膨胀由他们；收缩亦由他们。收购土产，票据承兑，大小放款，抬高或压平金价，收购农作物，供给外汇这许多工作，不论大大小小，都由四行两局包办。（三十六年一月十三日该报“商情一周”）

除四行两局及一库外还有以官商合办的姿态出现的小四行——四明、中国通商、中国实业和中国国货。按四明、中国通商及中国实业原为“商办”，蒋政府于民国二十四年五六月间，利用它们的挤兑危机而加入官股的；中国国货银行则在民国十八年由宋孔二家出面成立的。这个小四行就在实际上变为政府银行的支属；至于那个在民国二十年被财政部命令改组并由中国交通两行加股的新华信托银行，亦同样在实际上变成政府银行的支属了！就以鼎鼎大名的北四行而言，金城银行是由交通银行投资成立的；大陆银行是由中国银行投资成立的。这二个行虽则早在国民党在南京成立政府以前成立，但从资本来源及资金关系上说，它们是没法完全脱离国家四行的支配的了。由此可见，四行两局不但在业务上在资金上具有独占的地位，而且在资金关系上，把全国的第一流第二流商业银行控制在手里。四行两局控制了全国的金融，而五大财团则支配了四行两局。

（二）产业方面在抗战前夜，军事委员会的资源委员会举办了煤、铁、机械、电气及化学等基本工业；国府直辖的建设委员会举办了煤矿及电气工业；而行政院的实业部亦举办铜铁、机器、细砂及硫酸铔等厂。抗战以后，这三个机关合并于经济部资源委员会所管辖的厂矿，由战前的十六个单位，增加到一百零五个单位，它所涉及的范围，包括：工矿电三大类。工业部门包括了冶炼、机械、电工、化工四十个单位；矿业部门包括了采勘、煤矿、石油、金属及特种矿产四十二个单位；电业部门包括了二十二个单位，各事业的分厂分矿尚不在内。工人人数达十七万人；资本额几二倍于大后方民营工矿业的总和。除了资委会之外，还有军政部兵工署直辖下的四十余个兵工厂；航空委员会直辖下的若干与飞机事业有关系的工厂，军政部军需署直辖下的纺织被服及制革工厂亦达二十余个单位；交通部公路总局附属的各运输机关的汽车修理厂、炼油厂、钾制造厂及酒精厂等亦有四十余个单位。抗战胜利之后，资委会在大后方的一部分厂矿（如昆明及綦江等处），宣告停闭了。现在资源委员会的厂矿，还有百分之六十在开工。“它现在生产着全中国百分之五十的钢铁，全部的石油与非铁金属矿；在化学工业方面，亦仍占领导的地位。”如果把中国纺织建设公司、中国蚕丝公司、中国石油公司及台湾糖公司计算进去，则国民党政府所控制的工业，更加利害了。它不但独占了兵工生产和基本工业，而且独占了本来划归民营的轻工业——纺织、蚕丝和食糖。以“中纺”为例，它在上海有十九个纱厂，一个制麻厂，七个毛纺厂，六个印染厂；在青岛有九个厂，在天津有七个厂，共有纱锭一百八十二万余枚。这个数目是差不多占了全国纱锭的百分之四十（连同未开工的纱锭算在内，全国目下共有四百多万枚）！以上海一地而言，官商工厂的纱锭一共有三百五十万枚上下，而上海的“中纺”即占去九十三万二千枚！再以中国蚕业公司来说，它握有十个缫丝厂和丝织厂。这十个厂拥有二千三百八十四部丝车，浙江、安徽及江西三省的丝业都在这个公司的控制之下。四川的丝业公司和广东珠江三角洲一带的丝业亦就要暗然失色了！再以中国石油公司（民国二十五年六月成立）而言，它除了甘肃油矿局（日产四十余万加仑，为全国之冠）之外，还包括了四川油矿探勘处，高雄炼油厂，台湾探勘处及锦州锦西革新油矿。从敌产中，中国石油公司在上海接收了上海南丸善石油株式会社、中华出光兴业会社等炼油单位；在青岛接收了三菱株式会社、青岛油槽所、石油联合株式会社及大华火油公司；在台湾接收了日本株式会社及高雄制油厂；在东北，接收了锦州的锦西燃料厂。这个公司，不但独占了全国石油的生产，而且独占了全国石油的进口。再以台湾糖公司而言，它接收了敌人四个大托拉斯，四十二个工厂，二十万亩的农场，每年可产砂糖一百四十万吨。因此，整个中国的糖市，自然而然地要被这个公司所支配了，有一个外国记者以惊奇的眼光来叙述中国政府在产业中的独占，他写道：

中国政府以各种公家机关及公司之方式，已成为中国首屈一指之经济企业家。目前开矿、动力、重工业、及丝、棉、糖之生产事业，莫不在其统制之下。（转录卅六年一月九日上海

《大公报》)

（三）银行是独占了的；产业亦是独占了的，它们有没有结合起来呢？事实的答案是肯定的！因为控制七行局库及其附属银行的是五大财团；控制国营的轻重工业及矿山的亦是五大财团，在这种情形之下，五大财团一面握住银行的体系；一面又握住产业的体系，银行与产业怎能不联结起来呢？从资金的关系上来说，七行局库与国营的轻重工业，亦是水乳交融的。例如中国纺建公司的最大的股东是中国银行，豫丰纱厂的最大的股东是中国银行，甘肃的雍兴公司和四川的建川煤矿公司的最大股东亦都是中国银行，中国粮食公司的最大股东则为中国农民银行。“中国”和“中农”，在专业上并不是专门投资于工矿的，那个以投资于工矿为专业的交通银行，更不必说了！四行之外，中信局亦直接投资于工业！独占的银行资本是深深地伸入到独占的产业中去了！

如果从个别的系统去看，五大财团都是中国式的独占资本的集团，蒋家是无所不包的，这用不着说；宋家有着他自己的广东银行、新华银行、中国保险公司及中国银建设公司，形成一个金融系统；有他自己的中国进出口贸易公司、孚中公司、统一贸易公司、金山贸易公司和利泰公司，形成一个商业系统；更有他自己的纺织厂、卷烟厂、水电厂等形成一个工业体系。孔家呢？他有他的山西裕华银行、扬子公司、长江公司、祥记公司、华福烟草公司以至《大陆报》《时事新报》等等形成一个庞大的康采因的组织。陈家呢，除了抢住“中农”、“交通”、“中信”和中央合作金库之外，还成立了他自己的金融机构，如工矿银行大中银行成大银行和正大银行等等。CC在农业金融及新闻出版方面，是占着独占的地位的。政学系则以北四行——特别是金城银行为据点，三十六年宋子文下台之后，张嘉璈代替宋系的贝祖诒而统治了中央银行，张嘉璈在中国银行本来是有一点潜势力的，长了中央银行之后，政学系在金融界的力量就要更膨胀了！

中国的商业虽然落后，中国虽然是一个半封建半殖民地的国度，但它是有独占资本的，大官僚资本就是中国式的独占资本，五大财团就是中国的独占资本的代表！

二 中国独占资本的特点

这种中国式的独占资本，与欧美资本主义国家中的独占资本，在发展过程上，在方式上，在经营形态上，是不相同的，兹将这些不同的地方，约略述之于后：

第一、在欧美，独占资本是从长期的资本积集和集中；是从长期的生产规模的集中和扩大，发展起来的，所以说：独占资本乃是生产集积和集中的结果。在中国，情形就不相同了！中国是一个产业落后的国家，在国际帝国主义与封建势力的打击之下，具有民族资本意味的产业，并没有发展的余地，像欧美资本主义国家的“长期的生产规模的集中和扩大”是谈不到的。民间资本所经营的工业，如荣宗敬系的新申纺织无限公司；郭顺及其家族所主办的永安纱厂；刘鸿生氏的大中华火柴公司等等，虽则以集团的姿态出现，但，它们的影响仍不很大；在整个国民经济中，它们所占的比重仍属很小。中国的工业，规模比较大一点的都属于国营或官营。这种比较大的国营工业，并不是从长期的资本积集和集中所形成而是由于政治权力草率地造成的！同时，欧美的银行资本之发达，是以产业资本之发展为前提的。没有产业的发展，就谈不到银行的发展，但在中国，银行的发生并不是为了中国本国的工业之要求，而是为了推销帝国主义商品的需要！因此，中国的银行业务并不有利于民族工业，中国银行之发展是远远地与民族工业脱节的。不论“集中”的工业也好，不论集中的银行也好，中国的独占资本，在发展过程上，是与欧美正常资本主义国家的独占资本不相同的，离开政治特权的直接推动就休想走得通。

第二、在结合的形式上，欧美的独占金融资本，可由二种方式形成：或者是由银行资本侵入产业资本，或者是由产业资本侵入银行资本。但在中国，因为产业太落后了，因为银行资本的集中程度超过于产业，所以，银行与产业结合的方式，多半是银行侵入产业，而这个侵入产业的银行，却是握在官僚资本的手中！以一向被宋家掌握的中国银行来说，它就曾经利用它的雄厚的资本，从许多民间资本的手中，夺得了郑州的豫丰纱厂，济南的仁丰纱厂，昆明的云南纺织厂，衡中纺织公司和成安纺织公司。那一位被人赞美的纱业钜子——穆藕初先生，就是这样被逐出他所手创的豫丰纱厂的！在上面，我们已经看到许许多多的事实，已经看到五大财团正在利用其政治特权，正在利用其握在手中的国家银行或半官银行的力量去侵吞民间工业，去打击民间资本家了！

第三、因为中国是一个产业落后的国家，因为中国的工业是落后得很可怜，所以，工业资本并不像银行资本那样集中。官僚资本的重心虽然放在银行上，但并不放在工业上。换句话说，中国官僚资本的特色与其说是银行资本与工业资本的结合，毋宁说是银行资本与商业资本的结合。这一点是与官僚资本的买办性有密切关系的！中国是一个半殖民地国家，帝国主义倾销的商品侵入中国穷乡僻壤的每一个角落。替帝国主义推销商品或搜集原料的利润，比较经营生产事业是大得不可比拟的。因此，大官僚资本就是帝国主义的大买办。大官僚资本的重心自然放在进出口贸易而不放在经营工业了。我们看看孔宋陈等在抗战结束以后，在上海所成立的七八个大贸易公司，就可知道。反过来，从那个握在大官僚手中的银行资本来说，亦是如此！因为中国的银行之发生与发展，既然是以帝国主义的商品倾销为前提，所以，银行资本自然而然地就会以极大部分的力量与商业结合了！

第四、欧美的独占资本的形式，有卡脱尔（Kartell）新迪卡（Syndikat）托拉斯（Trust）康平拿及康采因（Konzern）几种。卡脱尔是某一生产部门中多数企业之垄断的协调，它的作用，不只限于商业，而且亦及于生产范围（例如共同规定生产额），参加这一组织的诸企业，还可保持其经济上的独立性。卡脱尔的条约中，规定必须遵守的商品价格，规定工人工资，划分各会员的贩卖区及分配量等。新迪卡比卡脱尔的组织更严密一点。在新迪卡之下，有一个统一的商业组织，一切会员企业所生产的商品，都得经过这个统一组织来出卖；同时，它又规定每一会员企业的生产额，管制各个企业的执行契约，根据各会员企业生产额的大小，分配利润。托拉斯比新迪卡的组织又高一筹。参加托拉斯的诸企业，完全失去各自的经济独立性，它们在事实上不是独立的企业家，而是托拉斯的股东了。这是独占资本的最高形式，是美欧最流行最重要的一种形式。至于康平拿是二个以上分工关系的生产部门的诸企业，联合成为一个统一的经济单位；而康采因则是许多不同部门底许多企业的联合体，它里面包括着工厂、商店、银行、航业、旅馆、戏院、出版机关等等。参加康采因的各个企业间的互相联系，较康平拿为弱。

在中国，独占资本所采取的形式，并不是在欧美最流行的托拉斯，而是组织性最差的康采因。因为中国的产业落后，因为中国的银行投资于工业比较投资于商业运输，来得更多。所以，那种致力于调整生产机构，扩大生产规模的托拉斯形式，就没法流行了，每一个大官僚，就以他的金融机关作中心，团结了一些商业，运输，工业以至旅馆戏院。五大财团就是这么干着；地方官僚资本的阎锡山和马鸿逵之流亦是这么在干着。一个大官僚就是一个康采因，有它的政治体系，亦有它的经济体系！

第五、欧美的独占资本，特别是所谓金融寡头（oligarchy），操纵了整个的国民经济，操纵了国家的政权机关，国家机关中的要职，都由这些政党的政治家所占据着，如在美国，共和党或民主党都是垣街的用人。

许多国家大事往往都先在摩尔根，洛克斐勒或福特等独占资本的集团内讨论决定的。伦德堡的那一本《美国六十家》，很详尽地就把美国独占资本的黑幕提示出来了！在欧美的例子中，极大多数的例子，都是说明独占资本之干涉国家政权是从经济走到政治的。

在中国，官僚资本走的却是另一条路。这就是它们从政治走到经济。“在封建社会的中国”，“升官”早已是“发财”的重要办法了。鸦片战争以后，“升官”“发财”仍然是联系在一道的。试问李鸿章、袁世凯、盛宣怀和梁士诒之流，那一个不是从做官起家的？传到这一个统治中国二十年的国民党政府，情况依然一样。国民党政府，从一九二七年四月的血腥政变之后，就代替了北洋军阀而成为买办大地主的政治代表。这个大买办大地主集团，是以江浙财阀作为中坚的。但这个国民党政权又逐渐形成自己的经济力量，又逐渐地压倒了那原来扶持它们起来的封建买办金融势力，反过来，使原来所谓江浙财阀分解，而变成五大财团的附属物了！

国民党的五大财团，是从政治走到经济，是利用政治权力去建立他们的“家当”的。看吧！那一位天字第一号的人物，虽然出身自盐商的家庭，但没有什么资产，所以在落魄的时候，竟至于在上海吃交易所的饭，而今呢？他的家当真是没法知道的了。那一位做过行政院长和财政部长的宋先生，在赴广东做财政厅长以前，还不是一位东拉西扯的光棍？他和席德懋兄弟合办的贸易公司，资本完全是席氏供给的，这个公司营业失败，清理时完全是由席氏负责的，但做了官之后，他就成为远东有名的富翁了。孔陈二家原来虽是经商的，但他们的财富如果和现在比较起来，那是微小到不足道的。政学系的那几位财阀，如吴鼎昌张群之流，又那一个不是从做官弄到财产的？国民党官僚资本之形成，如果要找一个样本的话，那只有德国国社党的希特拉、戈林、戈培尔可以比拟！因为国社党的头子，除戈林以外，几乎全是流氓瘪三，他们一旦做官之后，就成为暴发户。他们的财富显然是利用权位取得的。K 博士很像戈林；二 C 就是戈培尔，只是我们的博士不是空军总司令；而二 C 没有跛脚吧了！陈伯达先生说得好：

经济变成政治，政治变成经济。封建的买

办的财产制度是因，蒋××的法西斯军事独裁是果，但是，果可变成了因。蒋××法西斯政权军事独裁就做成了这个以四大家族为代表的最集中的封建的买办的财产制度。

上面所说这几点，不但把中国的独占资本与欧美的独占资本区别出来，而且同时又说明：在半封建半殖民地的土壤里，如果没有帝国主义的支持扶助，如果没有政治上的特权，则不论那一位万分能干的资本家，终是没法把他的资本扩大起来，把自己变成一个独占集团的。这一点又可以从反面证明国民党五大财团为什么在中国近代史和现代史上成为前无古人后没来者的大富翁。因为它们是民国以来统治最久而又继续不断从外国，特别从美帝国主义得到最多资援的大官僚集团。

在半封建半殖民地的中国，离开大官僚资本，就没法找到独占资本！

第六章　官僚资本充满着矛盾

一　从经济上来看

官僚资本，特别是国民党的五大财团，给予中国人民以无限的灾难；给予中国经济以严重的摧毁，当然，破坏中国经济的还不仅是官僚资本，在官僚资本中，还不仅是国民党五大财团，但，官僚资本是与帝国主义列强沆瀣一气的；而国民党五大财团的统治，比过去的任何军阀官僚，时间来得久，地域来得大，所以，他们的官僚资本对于中国经济的破坏就为以前任何派系所不及了。

让我们看看官僚资本所给予中国经济的灾害吧！

官僚资本的主要武器之一是利用管制以打击民间资本，利用这种武器以进行其独占性的“法外”活动。这种干法，我们曾经提到了，现在要谈的是他们这种干法给予经济事业以什么影响。

用棉花生产做例吧。中国棉花的生产，战前（二十五年）达到一千四百五十万担；抗战初期，后方生产每年在一二百担之间；民国三十年骤见跌落，三十及三十一两年间，产量骤降至三十多万。棉花减落的原因，是国民党官僚施行管制，施行所谓统购统销。因为统购的价格太低，统购的资金不足以及运输工具的缺乏等等，特别是收购价格定得太低，一般农民都不愿意种棉，把棉田改作麦田。三十二年的棉价，因生产会议的决议而提高，于是棉产又增加至一百二十万担；三十三年更增至一百八十万担，但因统购的资金太少，并因官僚机关办事迟缓，不能及时收购。棉农为生活、租税及债务所迫，不得不以低于管制局所公布的价格卖给商人；商人原想以低价收进，以高价卖出，但政府强迫收购，给价太低，而收购后又不能如期付清货价，于是纷纷向外走漏，卖给敌人，致三十二年一百多万担棉花，政府收购不及三分之一。原棉不够，大后方的纱厂就发生恐慌了。

纺织业方面，自从以花易纱，以纱易布的统制方法实施以后，纱厂布厂底原料全归政府供给，出品亦全归政府收用。工厂负责缴纱缴布，政府负责给予工缴和利润。在各地物价不断飞涨之情况下，工厂所支出的工缴费用亦随着增高，但核定的工缴则说不到随时调整，甚且拖欠不付，以致各厂所有的存纱已全归政府所收购，而货价十之八九尚拖欠无着。各纱厂的经济能力因而大大削弱，除了偷工减料之外，只有停工关门了。以大型纱厂的纱锭而言，后方共有三十二万锭，花纱统制局管制下的纱锭，只有十九万八千枚，实察开工的只有十六七万枚，因为原料缺乏，经常奉令减工——从百分之三十至百分之五十不等。中小型的土布等更形惨淡，三十一年重庆的织户有一千一百余家，机台六千九百六十三台，三十三年下期减至四百五十六户，机台减至二千四百余台，成都及璧山等地土布业亦一同陷入绝境！

煤业亦是受着管制的（从三十四年起），管制的内容亦是统购统销；煤业亦同棉纱一样，遭受抑价太低的打击；遭受生产衰落的命运。以嘉陵江区域为例，三十三年每月产量为八万四千余吨，三十三年秋天每月减至三万吨。是年冬季虽回复至五万吨，但三十四年又下落至三万余吨。其在岷江区域，每月亦从七万吨减至三万五千吨。

统购统销的另一个成绩，是窒息了出口贸易。官僚资本的统购，是死死压低价格的。以桐油为例，三十二年每担官价比市价差一千一百元；以蚕丝为例，秋丝每担官价比市价二十七年差三百元，二十八年差一千八百元，二十九年差二千零五十元，三十年差八千八百元。猪鬃及茶叶的核价情况，亦大致如此。压价还不算，还要拖延付款。弄得商人们摇头太息，说这是“统而不购，购而不给钱”！统销方面，则是“供不应时，丧失信用，弄得盟邦都讲闲话”。于是输出便几告断绝了。抗战后期，大后方对外端赖中印空运。从印度运入中国的是军火和一些官僚们“走私”的商品；从中国到印度的飞机呢，因为官营机关没有生意，而民间出口商则不能利用吨位，致使这些飞机没有装运桐油或生丝、没有装运猪鬃和茶叶。为了增加重量，却装满了昆明的石头、沙子和河水！这难道不是统购统销的恶果么？商品销不出去，生产自然衰落，“全国桐油，约一百五十余万担，战时后方生产尚应产七八十万担，自被统购统销以来，几等于零”；“蚕丝全国约十万担，战时后方应产二三万担，自被统购以来，年产不过二万余担”，蚕农都把桑树砍掉当柴烧了！

这是抗战时期，五大财团独占垄断所给予生产和出口贸易的打击！抗战结束以后，官僚资本又大开其门，让美国货进来摧毁民族工业了！

看看民族工业衰落的状况吧！

据《大公报》记者的调查，三十五年八月份全国各厂水泥销数总计不过六万桶，仅合战前八分之一。启新洋灰公司至是年年底积货十一万吨无销路，其他各厂因供过于求，纷纷减产，小型厂不得不全部停顿，即规模较大的上海水泥厂也因此而停止生产了。

其在化学工业，战前上海有会员百余家，三十五年下半年只存一半，能够支持的仅七八家；十六家电化工厂，大部分停顿。天厨味精因受美货倾销而大感困难；天津的永利化学公司则在卜内门的打击之下，岌岌不可终日。三十五年秋天该厂的负债额已达五亿元了。

其在制药业，上海原有三百余家，三十五年年底只剩七十五家，且陷半开工状态。有二十年以上的历史的新亚药厂，亦因负债二十亿元而宣告关闭了！

其在棉织业，因为官僚资本的垄断，因为联合配销办法的实施，纱厂赚不到钱，复制商买不到纱，驯致相率停工。广州最为严重，统计三十五年十月份，停工的织布厂，达二百三十余家；无锡、常熟、江阴、武进等处三百八十家织布厂（织机一万五千台）相继停工；十余万工人亦同时失业了。

其在针织业，三十五年九月间，上海五百家针织厂，其中百分之四十宣告停工或倒闭；到了是年十二月，较大的“中国”、“泰记”、“勤益”、“华安”、“华丰”、“美琪”、“中兴”等十余家，因没法支持而关门。尚能开工的，每日仅开工二三小时，或开三日停二日。

其在丝织业，上海战前有五百余家，织机七千五百台；战后三百余家复工，但一入三十五年，便逐渐关闭。上半年约停闭数十家，到是年年底，规模较大的南市及沪西的“新大”、沪东“源通”及“惠平”等六厂，亦宣告清理了。有一个厂的主持人，因负债二十八亿，变卖家产后，举家自杀！

收复区的情形是如此，大后方呢？截至三十五年年底，中国工业协会会员工厂四百七十家中，停工者达三分之二；迁川工厂原有三百九十家，倒闭了三百七十家；四川中小工厂一千二百家（分布于重庆、梁山、乐山、万县、成都等处），歇业的百分之八十。至于湘桂的工业则早在胜利前被敌寇摧毁得一干二净了！西北的一些毛织工厂是在抗战时建立的；到了抗战结束之后，因为美货倾销，竟有八十多家作为牺牲品了。

这是官僚资本联合着帝国主义所给予中国民间工商业的杀伤；这证明官僚资本是以牺牲民间资本特别是中小资本为前提的。但官僚资本对于自己所控制的机关，亦一样给予无限的残害。把厂矿作衙门，视办厂如做官，就是官营事业所以失败的原因。大家都在嘲笑象鼻山铁矿的湖北官矿公署，大家都在嘲笑这个公署，“除了督办之外，有一位处长，两位会办，公署之下，共分八股，每股设一主任，股员二人至四人，助理员每股二三人，此外还有监印员二人，承启官三人，调查员三十人，差遣员八人，卫队二十人，杂役三十人”。其实三十年后的中国，官营企业组织，较诸民国四年的象鼻山并不好了多少。以中国纺织建设公司而言，单单总公司就有大小职员七百余人。这完全是一个衙门。那里谈到生产？沪东某厂纱锭五万，布机八百，未接收前，日本人只用职员三十七人，其中技术员三十人，事务员五人，反之，接收以后，职员照章定六十人，其中技术员减至二十人而事务员则增至十四人。这难道还是一个生产机关么？这难道不是一个衙门么？因为是衙门，所以该公司的权力集中于总经理一个人，最重要的工务处长和实际负指挥生产责任的各厂厂长，均变成总经理的传声筒或事务员。厂长对厂中职员无进退权，对于机件物料无采购权；对于原料棉花无选择权；对于会计用款无预算决算权，一切的一切，都集中在总经理之手。这么一来，机构越庞大，效率亦就越降低了。该公司在上海有一百七十万锭子，搞了半年多，开工仅百分之五六十。该公司属下某厂的一个女工慨然的说：

> 从前日本人对于纱锭，稍有损坏，即加修理，现在则马马虎虎，仍勉强的开下去，机器消损得利害，我看纺建公司的锭子，二年后恐怕多要完结的。（见三十五年五月二日上海《大

公报》)

因此，中纺的生产率是低得很的。一般生产水准，每个锭子每天生产二十支纱，总在一磅上下，而该公司在三十五年夏秋间，开工七十五万锭，出纱七百件，约合点四磅。这种效率只能赶得上战时后方的小型纱厂而已。中纺是官营工业中最赚钱，规模最大的，尚且如此，其他，规模较差的，那就更不用说了。事实证明：官僚资本的独占，不是发展生产，而是极端地在破坏生产，在摧残生产力的发展的。亦就是说，官僚资本的独占，乃是完全腐朽与完全寄生性的独占！

在官僚资本的侵蚀之下，一方面是财富的积累，它以更大的速度集中在他们少数人手里。[傅斯年谓孔宋二家财产，足够中国全国人民照美国水准生活一年之需(见三十六年二月十五日上海《文汇报》)，如果把蒋陈及政学系的计算在内，二年是不成问题的吧！]而在另一方面则为穷困的积累，它以更快更大的速度来吞吃绝大多数的人民。经济崩溃的阵痛，一阵阵的袭来，官僚资本与人民间的矛盾，越来就越深刻了！

二　对着各阶级

在经济上官僚资本不断发挥其破坏工作，不断地给予中国各阶级以极大的危害。陈翰生先生在其名著《独占集团与中国内战》一文中，尝慨叹的说：

> 中国的官营独占事业，不仅剥削着工人，也剥削着民营制造商与消费者。在军事独裁之下，罢工自由是谈不到的。民营企业要不与有权势的军政官僚勾搭，在高额税率之下，运销与销售全有困难，极易崩溃。当政府大举囤积与投机时，不仅中小商人会破产，消费者也没人能避免支付过度的代价。

陈翰生先生的话是对的。工人，民族工业家，中小商人和一般消费者，无一不吃着官僚资本的亏！看吧！

（一）在官僚资本的工厂中的工人，特别是那些在国营名义之下的工厂中的工人，受着统治者无比的压迫。在抗战的时候，大后方的工人，特别是在那些直接间接和军火及军需有关系的工厂做工的工人，完全失去自由了。不要说集会结社，就是看看报纸，甚至回家省亲亦要成为罪状。在后方七八年，真不知有多少工人是被特务绑去的！这些为国家民族流过血汗的工友，就这样不明不白无声无息地抛了性命了！抗战结束之后，国营企业扩大了。国营工厂因为资本雄厚，条件优良，故在待遇方面，在某一限度之内，比民营工厂好一点，但特务人员在工厂的活动，却大大加强。日本投降，国土重光，但工人们却仍然在过着黑暗的恐怖的生活！三十六年二月间的经济风潮来了，国民党当局颁布什么经济紧急措施方案，冻结工人的生活指数。这么一来，过去号称工资较高的国营工厂，亦就把工人的待遇弄得十分恶化了。但工人是不会屈服的，国民党的经济紧急措施方案公布之后，上海的工人即起来驳斥它的不合理，到了三十六年五月间就爆发为巨大的延续不息的工潮！

（二）官僚资本与民营工业亦是对立的，官僚资本利用其政治上优越的条件，从事于垄断操纵以打击民营工业。在燃料方面，官僚资本独占了煤炭，迫使民营工厂不得不以高价向黑市购进，提高民营工业的成本，削弱了民营工业的竞争能力；在市场方面，官僚资本又以其优越的条件，去挡住民营工业的去路，“例如中国纺建公司在表面上是以接收敌人的国际市场为任务相号召的。因为纺建接收的敌伪工厂的配备，比较适宜于纺制四十支以上的细纱，细纱的国内市场销路较小，可以争取国外市场，然而纺建竟舍细纱不纺，而改纺二十支和十六支等粗纱。这不是放弃国外市场，回到国内来打天下吗”（见三十五年六月三日上海《联合晚报》）。在经济行政上，官僚资本利用国家的名义，把管制政策作为打击民营工业，侵吞民营工厂的利润的工具。在抗战结束后的一年间，四大家族打开大门延美国货进来扼死民族工业；三十五年十一月以后，又以入口限额制度，去切断某些必需的原料的入口，去扼死民族工业。在金融上，官僚资本抢住国家银行，利用国家银行的资金去充实它们自己的企业，而同时，却以金融管制的法宝，紧缩银行资金对民营工业的放款，使民营工业陷于周转不灵的境地；官僚资本的步步进迫，迫使民间工业家不得不起来抗争。抗战后期，重庆的全国工业协会就尝为着反对统制，为着争取工贷而呼号起来，在“星五聚餐会”

上，反对官僚资本的呼声，是盈盈贯耳的。至于民主建国会的成立，则更表示中国的民族工业家明确地起来为实现民主政治为反对官僚资本而奋斗了！

（三）中国官僚资本的重心，不在工业而在贸易，这是我们在前面已经述及的，因此，官僚资本不但与民族工业家发生尖锐的矛盾，更且与出入口商人发生尖锐的矛盾。在前面，我们已经看到：五大财团利用其政治地位，利用他们所制造的统制政策，去打击一般商人，去经营一般商人所没法经营的生意，借以取得超额利润。中小商家在这种打击之下，自然没法生存，因为他们（中小商人）的资本很有限，必须使其周转迅速方能维持其开支与生活，所以他们不能等待机会或造就机会，他们只能求得市场的一般利润，但以战时与战后的运输之困难与苛捐杂税之繁重，百分之二三十的利润是不容易获得的，就算获得了，但国民党政府的通货膨胀却给它打了一个折扣；而五大财团的独占垄断，又时时刻刻在吞吃小鱼。中小商人就在这种情形之下，被这些官僚资本家吞吃完了。因为种种限制，中小商人虽然尚未团结起来向官僚资本作斗争，但只要你倾耳听听，随处是可以听到阴沉的怨声的！

（四）官僚资本的商业垄断，不但在“与民争利”方面，打击，吞并了中小商业，而且以巧取豪夺的办法，掠夺了全社会的消费者。国民党的官僚资本不但控制了纱和布，而且控制了粮食、面粉、食糖、食油、食盐以至煤炭、石油、丝织等。开门七件事，几乎没一件不握在国民党官僚的手中，国民党官僚控制这些物资的数量，操纵这些物资的价格。这么一来，老百姓的生命就一条条被握在国民党官僚的手里了。至于那些没有被管制被掌握的物资，则因为国民党官僚的苛捐杂税而提高其价格，羊毛出在羊身上，这些苛捐杂税终极又转嫁给消费者了。孙中山先生所提倡的是民生主义，而国民党五大财团则把它改为民死主义。他们是要把全社会的消费者置诸死地而后快的！

官僚资本是与工人、民族工业家、中小商人和一般消费者对立的，矛盾的，但，除此之外，它还与广大的农民及中小地主对立着。这在我们谈到官僚资本的封建性的时候就已提及了。大官僚资本同时亦就是大地主，五大财团并不是单纯的买办，他们通过政权向农民和中小地主进行征实征借；他们利用国家银行的资金去壮大农村中的高利盘剥；他们在收复区，在被其蹂躏的解放区中大量地夺取农民的土地，赤裸裸地表现其封建领主的狞狰面目！在这里，最野蛮的是CC一系，他们除了已经进行的劫掠之外，还打算要实行什么“义务劳制度力”。这种制度是希特拉纳粹党所实行的，这是一种中世纪的超经济的劳动剥削。CC系却公然提出这种制度，欲使中国变成纳粹德国一样，欲使中国变成一个大集中营！

国民党官僚资本之肥胖，是以全国各阶层的人民为牺牲的！中国人民的脂膏，骨头和血泪，就是国民党官僚资本的养料！这是一个必然的法则：官僚资本不断在肥胖，同时，亦不断在制造敌人，它们制造矛盾，加深矛盾的结果，自己必然要埋葬在这些矛盾之中！

三　与地方资本的矛盾

国民党的五大财团中，除了政学系之外，都是与地方资本矛盾的，就是政学系，他们在人缘上虽然与川康的地方资本和江浙一部分财阀有着较好的关系，但亦不是没有利害冲突的。五大财团利用其特殊地位权力以遂其独占垄断之私，把地方资本亦当作为吞并的对象，这就不能不引起两者间的矛盾了。在这里，五大财团是取着攻势，而地方资本则是取着守势的。

让我们看看他们间的矛盾吧！

第一、五大财团的独占管制政策，使一些经营工商业的地方资本，感觉到无所措手足；而特务人员和经济检查队的活动，又常以地方资本为对象。三十二年八月间四川的泸州曾发生一件大火案。川帮几个银行与中国交通二行的仓库，同时被毁于火，损失三亿元以上。原因是经检队查出川帮某行仓库屯积居奇，将检举查办，川帮商人索性举火以灭迹，但该仓库与中交二行的仓库毗连，故同归于尽！这只是一个例而已。

第二、中央四行对于地方的银行，在资金上是十分苛刻的，甚且有时给予很多的困难，因此，地方资本就不能不在这方面找寻团结御侮之道了，刘航琛氏就在重庆把“川盐”、“美丰”、“和成”及“川康平民”组织成为四川的小四行；陆子安氏就在昆明把“兴文”，“劝业”，“益善”及“云南矿业”组织成云南的小四行了。陆氏与谬云台在云南金融上是有些隔膜的，亦就因为对付下江的官僚资本而在某一程度以内融洽起来。富滇新银行的发钞权之继续，就是他们携手合作的表现，在这种情形之下，五大财团与地方资本的对立就更加显然了。

第三、国民党五大财团处心积虑，总想一口要吞下各省的企业。三十二年冬天，即提出各省企业公司应由中央采办；对于云南，提出将“经济委员会”与企业局移交中央管理，将富滇新银行交归国库。这件事情，龙云曾置之不理，三十三年五月开十二中全会时，为缓和这一矛盾，当局尝表示不再接收，但矛盾是不会因为缓和就告取消的。三十四年龙云被武力驱迫离开云南了。经济委员会的企业完全被“中央”接收了，富滇新银行亦连同一运命，不但云南如此，就是广西的公营事业亦一步一步被“中央”所吞并！

五大财团不但要并吞各省的公营企业，就是各省地方资本的私营企业，亦为被吞并的目标。以民生公司为例，三十二年秋间，该公司拟发公司债，当局本已批准，但随又提出条件，要该公司与招商局合并。这件事当然为卢作孚所反对，结果，民生公司的公司债就招不成了。可是，当局对这个公司的打击是未尝放松的。抗战结束以后，该公司的民来，民苏，民熙及民勤四轮经常作为军运外，还要临时征用十多只轮船去运兵。其次，从三十五年五月半以后十余个月，将该公司船只限制在渝宜间运粮不许搭客，致由宜返渝时常常空船，此外，招商局又进行“掘墙角”，以高价吸引引水人员，在这种情形之下，该公司的渝地董事及监事尝决议停业了！

五大财团对于地方资本的“客气”的办法是投资。经过投资的办法，“中央”就渐渐把企业抢过去了。如昆明的中国电力制钢厂（谬云台系的）在二十七年的“中央”加入官股十五万元；宣明煤矿公司（陆子安系的）于廿八年被“中央”加入官股一百万元；滇北矿务局（陆系）于同年被“中央”加入官股一百万元；重庆的电力公司（刘航琛系的）亦因为借了四行的款没法偿还之故而被攫去（三十年底该公司对四行负债达七百余万元）。这几个例子，说明五大财团的胃口是“细大不捐”的！

一般说来，孔宋与地方资本的矛盾较多一点，政学系与地方资本的矛盾较少一点。在地方官僚资本中，各系亦不是一致的。在抗战以后，川康与云南的地方资本与“中央”的五大财团处于尖锐对立的地位，在此时阎锡山的山西对于“中央”的矛盾似乎轻一点。这是当时的条件所使然的。如果回味抗战以前的情形，则阎老西与南京的对立是有剑拔弩张的程度的。“同蒲”及“正太”二条铁路之筑成狭轨就是明证！至于晋钞之发行，更不必说了。

五大财团与地方资本的矛盾，在政治上反映为某些地方与“中央”的矛盾。这种矛盾，这种压力，使某些地方资本在向民主运动找寻出路。这一点，证明反对独裁政权的力量是很广大的，民主阵线所包括的成份是很宽广的。备受国民党五大财团压迫的地方资本亦是反对独裁的一股力量。

四　五大财团彼此间

对于中国人民之压榨，官僚资本的各个系统是一致的，可是，他们彼此之间，却存在着深刻的矛盾。如果把五大财团来分析，则我们很可以看出不少的不堪入目的争吃骨头的丑事来！

先说孔宋吧！孔是姊夫，宋是舅子。在表面上，他们是相当“揖让”的。但一谈到经济利害，那就不免磨拳擦掌了！孔祥熙（二十三年）曾经夺了宋子文的财政部、中央银行和中国银行（三十三年），但三十四年宋子文却从孔祥熙手里把财政部和中央银行夺回来。这是他们在国家机关中的换位！以他们私有的企业来说，那亦是紧张得很的。抗战时期，南洋兄弟烟草公司与华福烟草公司在大后方之争夺市场，是有声有色的。在半官的国货银行的内部，孔宋二系互相轧压的好戏，几乎是应有尽有的了。三十三年该行在重庆开股东会议，老孔不管对方是舅子，当场把宋子良骂得狗血淋头。当孔氏接收宋氏主持的中国银行及在美国经购政府物资的“国防供应公司”的时候，宋氏用该公司的名义所聘请的美国专家顾问亦感到进退失据。这些专家感到狼狈；老宋更感到没法下台，好得钱昌照的照顾，以资委会的名义聘请这些专家，才替老宋解了这个围。反过来，当老宋“荣任”行政院长的时候，他又把孔系在中央银行和财部的人物撤换了。郭锦坤之撤去外汇局局长就是一个例。

到了三十六年二月间上海和各地的金融巨波，把 T.V. 宋推下台了。在这里，沪报有露出孔系在这里推波助浪的。据云此次集中用在购买黄金和外钞的法币是在九万万元以上。利用金融风潮以推倒宋氏的并不仅是他的姊夫，但他们的姊夫却显然是主要的一股力量。分赃不均，群狗争肉。实在是嗅到不可言状了！

宋氏对孔是矛盾的；宋氏对于政学系亦未尝不矛盾。宋氏与政学系的矛盾，是在他做行政院长时发生的。《新民晚报》的“内幕新闻”曾经写道：

> 胜利以后，是一个新局面。接收工矿大员，全是由翁派出来的：苏浙皖区张兹闿，鲁豫晋区杨公兆，平津及东北区孙越崎，华南区林继庸，煊赫一时，这个局面不久就被宋子文先生几个巨灵之掌打的七零八落。第一把中纺公司，中蚕公司及中粮公司等要紧的工厂，先由经济部特派员公署接收过去，再由敌伪产业处理局把其余的接收一下，剩余的大概就是一堆破铜烂铁了。第二、把经济部的心脏、资源委员会

分出，直隶政院，使经济部变成政院最没有内容的部，翁免职交给社会贤达。第三、任钱（昌照）为资源委员会委员长，升翁为政院副院长，钱经宋支持已达到多年的宿愿，但翁在掌下也稍稍抵挡了几下：（一）自己把住资委会最大的事业——石油公司；（二）孙越畸担任了资委会的副委员长，在会中，仍是一个有力的王牌。因此，翁在资委会的力量还大体保存下来。（三十五年十二月廿一日该报）

在四大家族中，老 × 固不用说，孔宋很早就在搞财政经济，很早就打下了他们的家当了。CC 呢，二陈虽然出身于湖州的丝商及当铺，但初期，他们致力于办党；接着又拼命的夺取全国的教育机关；到了抗战中期，他们才渐渐把触角伸入到金融和工商业这方面来。但在这个时候，国家资本的金融机关和贸易工矿机关，都握在宋孔或政学系的手里。在这种形势之下，这一个系便成为国民党官僚资本中最拼命最需要“革新”的了。他们到处钻，到处冲。反过老孔，反过老宋，反过政学系，甚至无耻地大叫"反对官僚资本"！其实，放什么屁？二陈及其喽啰，还不是要从孔宋和政学系分得一些经济地盘！亦就因为如此，所以CC和其他诸家的矛盾，就显得较为尖锐了！

CC对孔的斗争，孔是让步了的。三十四年春天，陈果夫从老孔手里抢去中国农民银行董事长的地位，就是一个最明显的标志！从此以后，孔在政治上走着下坡路，所以，斗争亦就显不出来了。但三十五年四月间粮贷问题，CC与孔家还打了一回，原来蒋政府在这个时候发出粮贷十亿元，孔家的长江公司是主要受贷公司之一，CC在这笔生意中，没有分到利益，于是，CC的《申报》《新闻报》等，便嚷起来了！但，这并不是大事。

CC与宋氏的斗争，纠缠得最久的是大华航空公司的问题。大华航空公司是CC这系的企业机构。CC系之设立这个公司，原意并不在运输而是在做生意与获得外汇，但T.V.宋为了陈纳德航空公司，就不顾交通部和航空委员会的批准，悍然吊销它的营业执照。这么一来，CC系的报纸都动员起来了；交通部和航空委员会亦出来说话了。但，老宋是很倔强的，在他做行政院长的时候，该公司几次请求复业，均被驳复，甚至进行行政诉讼，亦没结果。一直到三十六年二月间宋氏下台之后，该公司立即复业，并在美国买了十只飞机，飞行全国各地，从事大规模的买卖与走私。

CC 在上海的糖业公会有很大的力量，并且投资于某些糖号。台湾糖公司在刚刚成立的时候，采取配糖给糖商的制度，CC 在这种办法之下，获得不少利润，但后来，“台糖”改用直接抛售制，CC 的糖业公会就失去捞的机会。于是反对台糖的斗争便开展起来了。糖业公会在 CC 支持之下，竟请“蒋主席”撤销台糖公司；台糖与商争利的罪状亦就在 CC 系的报纸上登载出来了。台糖的斗争在表面上是 CC 与政学系（陈仪）的矛盾，而实际上却是 CC 与老宋的矛盾，因为台湾是直属于资源委员会的，而资委会在那时是宋的据点。故老宋正在 CC 大肆攻击之时，口口声声替“台糖”表扬成绩！

大家都很记得，T.V. 宋在长政院的时候，备受 CC 的各种攻击，中央银行的贝祖诒亦是一样。以三十五年一年为例，CC 领导下的上海商会，各同业公会和中国工协上海分会，组织了好几次的请愿。骆清华田和卿之流，激烈地抨击老宋的经济政策，抨击他的四口通商，抨击中纺公司之操纵纱布。这绝不是骆清华田和卿之流替工商界谋利益，这乃是CC要和老宋分赃的丑剧！

三十六年二月老宋下台了，代之而起的是政学系的张群和张嘉璈（中央银行总裁）。CC和政学系的矛盾又紧张起来了。

CC与政学系之斗争，在三十四年国民党六全大会上就表露出来。在六全大会中，CC尝散发一种题为《党国寄生虫政学系之阴谋述略》的传单，它这样写着：

> 杨永泰充行营秘书长时，凡足迹所至，苞苴塞门；熊式辉之在江西，搜刮裕如；张群主川，则利用其寄生幼虫邓汉祥、何北衡、黄季陆、康心之，事先收民股七千万，组织公司，以囤积居奇；复劫据粮款六十五万万，以奠定其西南经济之基础；吴升昌主黔，借名禁烟，已则统购统销，酿成独山失陷，临去尚余三万余两。

在六全大会的时候，政学系虽然以文官处代替了

CC的侍从室，但政院还不在该系手里，所以斗争还有限度。到了张群做行政院长的时候，就更激烈化了。这将表现在中央银行与农民银行，交通银行，中信局和中央合作金库的关系上；这将表现在陈立夫的经济政策委员会与三中全会所通过的经济方案对于行政院的经济措施的关系上。所谓中央经济政策委员会是CC在经济上牵制政学系的一条缰绳，张群很明白，于是他就组织一个“全国经济委员会”为全国最高经济决策机构，所有输出推广委员会及中央银行的政策，都要交全国经委会讨论，其组织规程则付立法院通过，手段神速，立刻将CC的中央经济政策委员会无形解决。这一下把CC触怒了。他们便通过中央合作金库及其企业公司贸易行等的外围组织，在油市、证交、纱布市场，尽量收购，助长了四月初所爆发的经济风潮（见《评论报》第十九——廿期）。CC和政学系的斗争，是正在发展着啊！

五大财团彼此间的经济矛盾，和他们彼此间的政治矛盾是有联系的。为了镇压人民，为了剥削人民，他们当然一致，但这种一致，并不能抹杀他们的矛盾。这些矛盾暴露他们的勾心斗角与无耻。

第七章　官僚资本是民主政治的障碍

近代中国的官僚资本，是大地主和大买办在经济上的结合物。因此，它是封建性的；同时又是买办性的。

近代官僚资本之发展，是以黑暗政治作为它的温床和暖室。上面很多具体的材料，证明集中性的官僚资本必须依靠下列一些条件，这就是：国家银行的占有，交通机关的占有，管制制度的利用与通货的恶性膨胀等等。反过来说，如果没有国家银行的占有，则它们就没法运用庞大的资本，进行化公为私及高利盘剥的勾当；如果没有交通机关的占有，则它们就没法抢先地独占地做一般商人所做不到的生意；如果没有管制制度的存在，则它们就没法假公济私，就没法表演那种使人痛心疾首的“只许州官放火不准百姓点灯”的恶剧了。至于法币制度之建立与恶性的通货膨胀的推行，则是在抢劫人民的白银之后，一天天在以使用纸币的方式去劫掠人民的血汗的。这一切，都是黑暗政治的产物；而这些无法无天的措施，则又处处在给予官僚们以发财的机会！

可是，官僚资本乃是这种黑暗的专制政治的社会经济基础。这就是说：如果没有大地主的封建财产制度，如果没有代表地主阶级的官僚制度，如果没有半殖民地的买办制度，如果没有这些制度之存在和结合，则中国的专制政治就没有存在之可能了。

封建的买办的财产制度产生了国民党的独裁政治，而国民党的独裁政治则反过来保护巩固并发展这种封建的买办的财产制度。以老 × 为首的五大财团，就是它的结果。

官僚资本为了它本身的利益，必须保持政治上的倒退黑暗。很明白，政治上如果不倒退黑暗，则它们便没法在这里上下其手，便没法进行其“劫”、“混”、“骗”、“偷”、“捞”和“洗”的勾当了。就是因为如此，所以他们便和民主势力成为水火，他们便以杀人放火疯狂内战作为他们的最大的生意了。内战不但使他们在镇压民主势力的情形下，可以无法无天胡干胡为，并且可以在购买军火，滥发公债和通货膨胀中，捞一大把！二十年来，国民党政府的血腥统治，就提供了许多深刻而丰富的说明！

官僚资本在中国国内是高度的集中的独占资本，但，它并不是独立的。离开帝国主义的支持，它就没法存在，更谈不到发展了。这就是说：当它对着农民、工人、中小生产和民族资本家的时候，官僚资本是独占性的大资本；可是，当它对着外国——特别是美国的帝国主义资本的时候，它就变成伈伈伣伣的小伙计了。“碰见绵羊的时候，它是狮子；碰到狮子的时候，它就变成绵羊。”中国的人民并不是绵羊，但在帝国主义面前，官僚资本却完完全全露出那一付可耻的奴才相。你看国民党政府不是死心塌地的以美国帝国主义的命令为依归吗？美国要什么就献什么；美国要怎么办就怎样办。这一笔账，中国的人民是看得清清楚楚的！

因为这些原因，我们可以明确地指出官僚资本是民族独立的障碍，是和平民主的障碍，是建立新中国的大敌！不打倒官僚资本就没法谈到中国的独立民主；不根绝官僚资本就没法谈到中国的经济建设！

政治和经济是血肉相联的。今天摆在我们的面前，在政治上是民主和独裁（或真民主对假民主）的斗争；在经济上，是保证农民有田耕，工人有工做，厂家有厂开和学生有书读的新民主主义经济对着中国的官僚资本和外国的帝国主义独占资本所垄断的半殖民地经济的斗争。中国的广大人民从农民工人一直到民族产业资本家，是在争取前一条路；而少数的大地主、大买办、大军阀、大官僚、和党棍特务，则拼命地欲把中国拉回去走后一条路。抗战结束以后，好战分子所发动的蔓延华北东北及华中各省的残酷的内战，在本质上，就是这么一回事！

无论美帝国主义者怎样在军事上在财政上给予怎样的支持，无论大地主大买办阶级的军队从美国取得了广大的军火和财政资助，无论这些快要进棺材的反动派怎样穷凶极恶，怎样倒行逆施，可是，它们的死亡是不可避免的；新民主主义在中国的胜利乃是历史的必然的逻辑！一如袁世凯之倾覆一样，以五大财团为核心的国民党政府的末日是不远了！因此，我们能够很肯定地说：国民党的官僚资本是空前的，同时亦是绝后的！

政局的脉搏越来越快！国民党政府企图以内战去保存其统治，但内战的结果是什么呢？军事不断在崩溃，经济亦不断地在崩溃，米潮，工潮，学潮一齐向国民党政府扑来！一九四七年三月二十九日那一家素以保守出名的伦敦《泰晤士报》这样写着：

> 中国人民从那些盘踞高位者历来的贪污腐化中解放他们自己，这个决心已经愈益增长，其时机亦愈益迫切了！

《泰晤士报》的话是对的，事实的逻辑一天天在证实这一种看法！

推翻专制政治，根绝官僚资本，这是我们必须完成的任务。怒吼吧！中国的同胞！

一九四七年五月廿八日

后　记

那是六七年前的事了，抗战正进入艰苦的境地；大后方的经济亦是一年不如一年的。物价在上涨，市场在波动。这种情形，迫使人们去研究战时物价问题；这一个问题展开下去，通货膨胀和官僚资本等等，就跳入我的视线之内了。

早在“中国社会史论战”以前，国内社会科学界已经提出“官僚资本”这个东西了。但那个时候，只是提一提而已，并没有去追究它；日本的某些研究者，在讨论中国经济的时候，间亦提了一下，亦依然没有去追究它，当然，这是客观环境的关系。没有客观事物的发展，就不会引起主观的注意。在国民党当权以前，中国虽有官僚资本，但并不十分严重；只有到了国民党建立它的统治以后，官僚资本才以空前无比的规模在发展着！国民党的官僚资本，好像一些蛆虫，它们不断地在侵蚀中国的国民经济。年复一年的侵蚀，越来越利害，越来越可怕！这就使人不得不大吃一惊了！抗战的过程是辛酸的，而它们却在人民的辛酸中，大发其横财！这就使人不得不高喊起来了！

客观的现实，迫我去注视这个问题，迫我去追究这个坏东西。当时我在重庆《新华日报》工作，在战时经济的领域里，到处要和官僚资本碰头。可是，那时，检查局却表现其对官僚资本的无限忠诚，在政治协商会议以前三四年的这一段时间，凡是碰到官僚资本的字样或提到官僚资本有关的事实或攻击，总被一笔勾消！这种专横的无耻的检查法，实在使人忍不住！有的时候，我就给它一个相应不理，但马上就有警告下来了。为了顾全大局，只得委曲求全，所以，有很多社论或专论，是印着 ×× 资本或改成特种资本的字样的。

政治协商会议的施政纲领，在文字上开放了对于官僚资本的攻击。在这个时候，写文章骂官僚资本似乎就不算犯法了。民主派的报纸和刊物都起来谈这个问题。可是，CC 系官僚资本却在这个时候，用这个名词去攻击它们的政敌。这种做贼喊贼的办法，证明它比老孔是来得更聪明的——老孔在当行政院院长的时候，绝对不许谈官僚资本。CC的这种干法，不但证明它的无耻，而且证明它的毒辣阴险！

在重庆的时候，作者尝写了一本《论中国官僚资本》。那是完全材料性质的，国民党政府中央各系和地方的各系都有提及，国民党各派系在四行两局中的逐鹿，亦加以叙述，但只是材料而已，分析很少，自己看后很不满意，所以就搁下来，不敢同书店接洽出版。这一年来，中国的社会科学界对于这一方面，很有宝贵的收获。第一要推陈伯达先生的《四大家族》，第二要推陈翰笙先生的《独占资本与中国内战》，第三要推王亚南先生的《中国官僚资本之理论的分析》。这三个著作，给予我很多的启示，更给予我很多的勇气，使我再提起笔来，完成六七年来未尝完成的夙愿！

陈伯达先生的《四大家族》，对于国内外的读者，有极大的影响，它好像一面大镜子，把国民党四大家族的一切狗屁倒灶的臭事，和盘托出来；把中国空前并且绝后的官僚资本集团，一丝不挂的拿给中国人民看看。

“射人先射马；擒贼先擒王”，陈伯达先生是完成了“擒贼先擒王”的任务的，但如果能把政学系列进去，那就更好了。陈翰笙先生的《*Monopolyand Civil War in China*》是把政学系列进去的，但只注重于五个财团的阵容，只强调它们的独占性，而没有进一步地把五大财团的活动方式加以发掘。王亚南先生的《中国官僚资本之理论的分析》，是偏重于学术性的，这是一篇平心静气的分析性的文章，但我觉得似乎太一般了，还未曾能把握住官僚资本的要害。国民党的官僚们读了陈伯达先生的《四大家族》的时候，必定面红耳热，老羞成怒，要与作者誓不两立；如果读王先生的著作的时候，或许只有一阵不快的感觉而已！

我写这本书，绝对不敢说要补充他们三位先生没有说出的地方。在学力上，我是万分贫乏的，实在谈不到补充。只是为了真理，为了使大家认清这个坏东西，所以，就把自己的看法拿出来同大家商量吧了。

全书约七万字，但因其他事务的关系，所以断断续续，拖了五个月才完稿。在这里，有几个问题，因为自信不够，恐怕闹出笑话，所以写后又自己取消了，只保存现在的样子。虽然有很多宝贵的著作，特别是毛泽东先生的《论联合政府》和陈伯达先生的《四大家族》，作我的根据和指南，但，错误仍然是不可免的。甚祈海内外贤达，不吝予以教正！

这是破晓以前一段极其寒冷而黑暗的时间，相信不久，光明就会迎面来迎接我们！那其间，专制政治和官僚资本就会像一只死狗，被人民抛弃在毛坑里！好，就让我这本书作为专制政治和官僚资本的丧歌吧！

三十六年七月二日夜十二时校毕

本书所用重要参考书籍及报刊

《论联合政府》	毛泽东	中国出版社
《中国四大家族》	陈伯达	中国出版社
《论官僚资本》	诸家	综合出版社
《民国财政简史》	贾德怀	商务书馆
《新经济学大纲》	沈志远	生活书店
《中国经济的道路》	拙作	生活书店
《近代中国经济史》	钱亦石	生活书店
《中国工业发展史大纲》	龚骏	商务书馆
《独占集团与中国内战》	陈翰笙	香港远东经济评论
《从官僚资本看政局》	兆流	《文汇报》
《中国官僚资本之理论的分析》	王亚南	《文汇报》“新经济”
《现代中国经济教程》	拙作	新知书店

《美国六十家》　伦德堡　五十年代社
《二千年间》　蒲韧　开明书店
《中国买办制》　沙为楷　商务书馆
《中国社会经济史纲》　王渔邨　生活书店
《中国工业资本问题》　方显廷　商务书馆
《经济通讯》
《群众周刊》
《大公报》
《文汇报》
《华商报》
《星岛日报》
《新华社通讯稿》
《经济周报》
《密勒氏评论报》

三联经典文库第二辑简目

《游击战教程》　明凡 / 著

《游击战术纲要》　陶剑青 / 编著

《汪精卫卖国的理论与实践》　钱俊瑞 / 著

《抗战以来》　韬奋 / 著

《陕行纪实》　楚云 / 著

《随军散记》　沙汀 / 著

《被日寇囚系半载记》　王研石 / 著

《倭营历险记》　房沧浪 / 著

《活跃的新西北》　田影 / 编著

《保卫华北的游击战》　刘清扬　陈北鸥等 / 著

《徐州突围》　《徐州突围》编委会 / 编

《沦亡的平津》　长江　小方等 / 著

《淞沪火线上》　胡兰畦等 / 著

《瞻回东战场》　长江　罗平 / 著

《东线的撤退》　胡兰畦等 / 著

《抗战中的西北》　徐盈 / 著

《鲁闽风云》　徐盈等 / 著

《西线生活》　西北战地服务团集体创作

《中国解放区见闻》　［美］福尔曼著 / 朱进译

《全面抗战论》　潘汉年 / 著

《日本的间谍》　范士白自述 / 尊闻译

《日本大陆政策的真面目》　国难资料编辑社 / 编

《民众动员论》　李公朴 / 著

《中国外交史》　钱亦石 / 编著

《太平洋军事地理》　蒋震华 / 著

《世界经济地理讲话》　思慕 / 著

《列强军力论》　［德］马克斯 · 威纳尔著 / 宾符　仲持　梅益等译

《近代国际关系史》　张铁生 / 著

《太平洋现势手册》　沈志远　石啸冲 / 编著

《近代世界政治史》　钱亦石 / 著

《从战争到和平——一九四五年的世界政治》　乔木 / 著

《战后日本问题》　思慕 / 著

《最近一年间的国际动态（1946.7–1947.6)》　《东北日报》社 / 编

《论政党》　翟放 / 著

《法与宪法》　韩幽桐 / 编著

《中华民国宪法刍议》　罗家衡 / 著

《民主 · 宪法 · 人权——作之民》　费孝通 / 著

《宪法论初步》　潘念之 / 著

《对反民主的抗争》　韬奋 / 著

《农村改进的理论与实际》　江恒源 / 著

《上海产业与上海职工》（上下）　　朱邦兴　胡林阁　徐声 / 合编

《陶行知教育论文选辑》　　陶行知著 / 方与严编

《中国通货膨胀论》　　杨培新 / 著

《中国及其未完成的革命》　　H·普拉特著 / 蒋天佐译

《中国的建设问题与人的训练》　　卢作孚 / 著

《论中国特殊性及其他》　　艾思奇 / 著

《中国经济问题讲话》　　钱俊瑞　徐雪寒　王渔邨　姜君辰　骆耕漠 / 合著

《中国经济的道路》　　许涤新 / 著

《中国财政之病态及其批判》　　孙怀仁 / 著

《官僚资本论》　　许涤新 / 著

《五四运动之史的评价》　　陈端志 / 著

《中国通史简编》（上下）　　中国历史研究会　范文澜 / 主编

《论文学的工农兵方向——读〈在延安文艺座谈会上的讲话〉》　雪苇 / 著

《中国近代史（上编　第一分册）》　　武波 / 编著

《文学百题》　　傅东华 / 编

《中国史学之进化》　　周谷城 / 著

《论民族形式问题》　　胡风 / 著

《论批评》　　荃麟等 / 著

《中国史纲》（第一卷上下、第二卷上下）　　翦伯赞 / 著

《近代中国思想学说史》（1–4）　　侯外庐 / 著

《中国政治思想史》（上下）　　吕振羽 / 著

《中国哲学史纲要》　　向林冰 / 著

《中国政治史讲话》　　钱亦石 / 著

《中国社会经济史纲》　　王渔邨 / 著

《新财政学大纲》　　千家驹 / 著

《太平天国革命运动论文集——金田起义百周年纪念》

华北大学历史研究室 / 编

《理性与自由——文化思想批评论文集》　　胡绳 / 著

《战斗者的诗人》　　黄药眠 / 著

《国语文法》　　曹朴 / 著

《教育哲学》　　张栗原 / 著

《妇女问题讲话》　　杜君慧 / 著

《婚姻 · 子女 · 继承》　　沙千里 / 著

《性教育新论》　　布士克　雅各生合著 / 董秋斯译

《狱中杂感》　　杜重远 / 著

《七人之狱》　　沙千里 / 著

《爱迪生传》　　伍况甫 / 译

《歌德自传》（上下）　　歌德著 / 思慕译

《尼赫鲁自传》　　[印度] 尼赫鲁著 / 毕来译

《列宁传》　　[苏] 凯尔任采夫著 / 企程　朔望译

《罗斯福总统传》　　C. Mackenzie 著 / 张尚之译

《托尔斯泰传》（1–3）　　[英] 阿尔麦 · 莫德著 / 徐迟译

《革命文豪高尔基》 ［美］亚历山大·康恩著 / 韬奋编译

《鲁迅纪念特辑》 新中国文艺社 / 编

《回忆鲁迅先生》 萧红 / 著

《人民文豪鲁迅》 平心 / 著

《亡友鲁迅印象记》 许寿裳 / 著

《鲁迅思想研究》 何干之 / 著

《鲁迅研究》 夏征农 / 编

《过来的时代：鲁迅论及其他》 雪峰 / 著

《电影戏剧表演术》 洪深 / 著

《日常心理漫谈》 ［美］约瑟夫·查斯特罗著 / 曾宝施译

《心理常识漫话》 朱智贤 杨云美 / 著

《读书的方法与经验》 王任叔 / 著

《美国黑人生活纪实》 ［美］加德维尔 斯坦倍克著 / 董秋斯译

《初访美国》 费孝通 / 著

《事业与成功》 ［美］马尔腾著 / 汪原放译

《萍踪寄语（初集）》 韬奋 / 著

《一生的幸福前途——〈生活周刊〉信箱选集》 生活书店 / 编选

《深刻的印象》 生活周刊社 / 编

《海外的感受》 生活书店编译所 / 编